15

개 템플릿 으로 끝내는

TOEIC
Speaking

필수 전략서

시원스쿨 LAB

15개 템플릿으로 끝내는
TOEIC Speaking 필수전략서

초판 2쇄 발행 2020년 7월 10일
개정 3판 8쇄 발행 2024년 7월 2일

지은이 황인기(제이크) · 시원스쿨어학연구소
펴낸곳 (주)에스제이더블유인터내셔널
펴낸이 양홍걸 이시원

홈페이지 www.siwonschool.com
주소 서울시 영등포구 영신로 166 시원스쿨
교재 구입 문의 02)2014-8151
고객센터 02)6409-0878

ISBN 979-11-6150-307-3 13740
Number 1-110303-02020400-02

머리말

"문장을 열심히 외웠는데 막상 시험장에서는 말을 거의 못했어요."
"이전 시험보다 더 많이 말했는데 점수가 오히려 떨어졌어요."

학생들과 상담 중 흔하게 들을 수 있는 하소연입니다. 최근 들어 토익스피킹 시험은 답변의 양보다 질을 더 중요하게 여기는 경향을 보입니다. 질문의 주제와 연관성이 약해도 많이 말하면 고득점 달성이 가능했던 과거와 달리, 이제는 질문의 의도에 부합하는 문장을 얼마나 정확히 말해주는지가 중요해졌습니다.

이러한 경향을 반영하여, 초보자도 쉽고 빠르게 문장을 만들 수 있도록 도와주는 토익스피킹 필수 전략서를 새로 선보입니다.

학습자의 소중한 시간을 아껴 드리기 위해 필요한 것들만 엄선해서 담았습니다. 본 교재에서 제공하는 15개의 템플릿과 다양한 학습 컨텐츠를 꼼꼼히 학습한다면 누구나 단기간에 원하는 목표를 달성하리라 의심치 않습니다.

이 도서가 세상에 나올 수 있게 힘써 주신 신승호 이사님 감사합니다.
또, 부족한 강사를 만나 수년간 고생하신 홍지영 팀장님 감사합니다.
그리고 초판 제작을 위해 노력을 아끼지 않으신 안소현 주임님 감사합니다.

끝으로 언제나 든든한 제 동생,
아윤이 아빠에게 이 책을 바칩니다.

황인기   *Jake Hwang*

토익스피킹 기본 정보

1 시험의 목적

국제적인 비즈니스 환경에서 구어체 영어로 의사소통 하는 능력을 측정하는 시험입니다.
컴퓨터에 답변을 녹음하는 방식으로 진행되며 크게 아래와 같은 내용을 평가하게 됩니다.

▹ 영어권 원어민 혹은 영어가 능통한 비원어민과 의사소통이 가능한지

▹ 적절한 표현을 이용하여 일상생활 혹은 업무 환경에서 필요한 대화를 할 수 있는지

▹ 일반적인 업무 환경에서 대화를 지속해 나갈 수 있는지

2 시험의 구성

문제 번호	문항 수	문제 유형	준비 시간	답변 시간
1–2	2	지문 읽기	45초	45초
3–4	2	사진 묘사하기	45초	30초
5–7	3	듣고, 질문에 답하기	문항별 3초	15/15/30초
8–10	3	제공된 정보를 사용하여 질문에 답하기	표 읽기 45초 문항별 3초	15/15/30초
11	1	의견 제시하기	45초	60초

▹ 문항별 준비시간과 답변시간이 다릅니다.

▹ 11번 문제의 점수 비중이 다른 문제보다 큽니다.

▹ 획득한 점수를 200점 만점으로 변환하여 표기합니다.

3 점수별 등급

점수	등급
200	Advanced High
180-190	Advanced Mid
160-170	Advanced Low
140-150	Intermediate High
130	Intermediate Mid 3
120	Intermediate Mid 2
110	Intermediate Mid 1
90-100	Intermediate Low
60-80	Novice High
0-50	Novice Mid / Low

▹ 성적표에 점수와 등급이 함께 표기됩니다.

4 시험의 진행

시험은 주로 11:30, 1:30, 3:30 에 진행되며, 응시생이 늘어나는 신입사원 공채기간에는 응시 가능 시간이 더 많아지고, 응시생이 적은 기간에는 적어집니다.
입실에서 퇴실까지는 약 45-50분 정도가 소요되며, 시험의 진행 순서는 아래와 같습니다.

11 : 40
입실 차단
오리엔테이션 시작

12 : 13
퇴실

11 : 30
입실

11 : 50
시험 시작

12 : 10
시험 종료

토익스피킹 출제 비율

Questions 1-2 Read a text aloud 지문 읽기

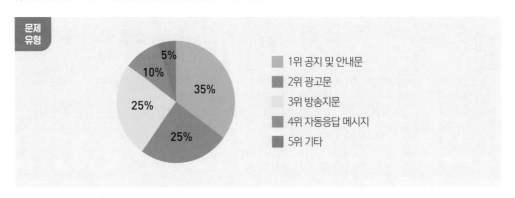

문제 유형

- 35%
- 25%
- 25%
- 10%
- 5%

1위 공지 및 안내문
2위 광고문
3위 방송지문
4위 자동응답 메시지
5위 기타

Questions 3-4 Describe a picture 사진 묘사하기

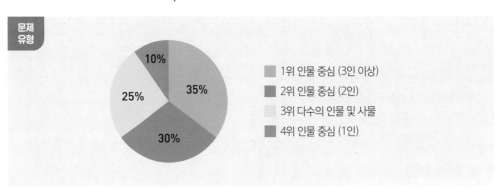

문제 유형

- 35%
- 30%
- 25%
- 10%

1위 인물 중심 (3인 이상)
2위 인물 중심 (2인)
3위 다수의 인물 및 사물
4위 인물 중심 (1인)

Questions 5-7 Respond to questions 듣고 질문에 답하기

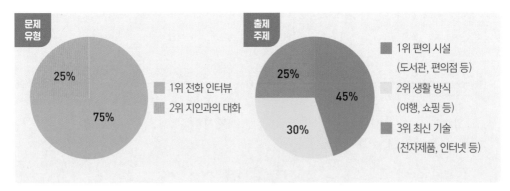

문제 유형

- 75%
- 25%

1위 전화 인터뷰
2위 지인과의 대화

출제 주제

- 45%
- 30%
- 25%

1위 편의 시설
(도서관, 편의점 등)
2위 생활 방식
(여행, 쇼핑 등)
3위 최신 기술
(전자제품, 인터넷 등)

Questions 8-10　Respond to questions using information provided
제공된 정보를 사용하여 질문에 답하기

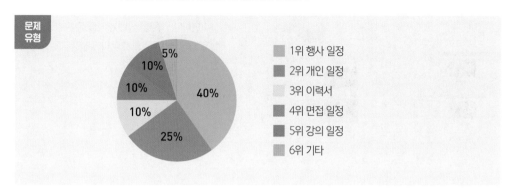

문제 유형

- 1위 행사 일정
- 2위 개인 일정
- 3위 이력서
- 4위 면접 일정
- 5위 강의 일정
- 6위 기타

Question 11　Express an opinion　의견 제시하기

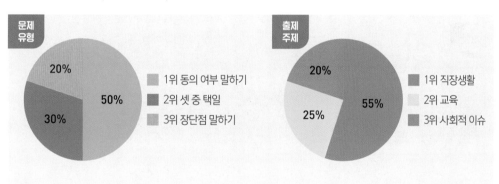

문제 유형

- 1위 동의 여부 말하기
- 2위 셋 중 택일
- 3위 장단점 말하기

출제 주제

- 1위 직장생활
- 2위 교육
- 3위 사회적 이슈

학습 플로우

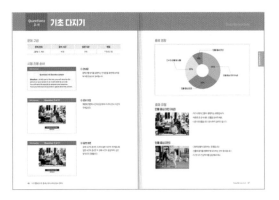

기초 다지기

문항별 기본 정보를 익히고, 준비 시간 활용법을 살펴봅니다. 점수별 답변 분석을 통한 학생들의 실제 답변과 QR코드로 제이크 선생님의 음성 총평을 바로 확인해 보세요.

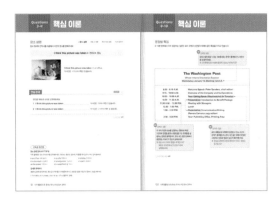

핵심 이론

문제별 템플릿을 학습하기 전에 필요한 필수 이론을 배웁니다.

템플릿 학습

기초 다지기와 핵심 이론을 토대로 템플릿을 학습합니다. 문항별 템플릿을 전략적으로 학습한 뒤, 이를 연습 문제에 적용해 봄으로써 실전 감각을 키웁니다.

실전 연습

실제 시험과 동일한 난이도의 기출 변형 문제를 풀어봅니다.

중요 표현 정리

실전 연습 문제로 실전 감각을 익힌 후, 시험에서 자주 쓰이는 문항별 중요 표현을 정리합니다.

책의 특장점

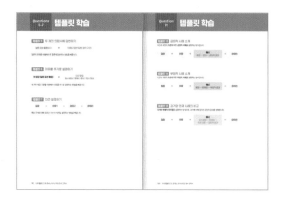

15개 템플릿으로 토익스피킹 고득점을 달성할 수 있습니다.

누구나 토익스피킹 고득점을 달성할 수 있는 전략적인 학습법을 제시하며, 초보자도 쉽게 따라 할 수 있는 15개 템플릿을 제공합니다.

토익스피킹 핵심 이론부터 실전 연습까지 한 권으로 끝낼 수 있습니다.

기초가 부족한 분들도 단기간에 목표 점수를 달성할 수 있도록 단계별 학습을 제공합니다.

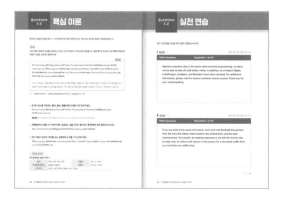

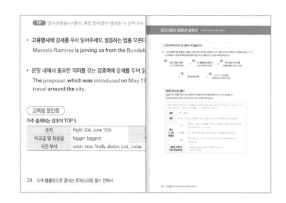

현장 강의에서만 들을 수 있는 유용한 팁을 제공합니다.

제이크 쌤의 현장 강의에서 얻을 수 있는 유용한 팁을 빠짐없이 담았습니다.

출제 가능성이 높은 모의고사 3회분을 수록했습니다.

최신 출제 경향을 반영한 실전 모의고사 3회분을 통해 실전에서 템플릿을 적용하는 연습을 할 수 있습니다.

시험장에 들고가는 템플릿 총정리를 제공합니다.

시험장에 편리하게 들고 갈 수 있는 템플릿 총정리를 제공하여 시험 당일까지 완벽한 학습을 제공합니다.

* 교재 뒷부분의 절취 가능한 자료를 통해 확인하실 수 있습니다.

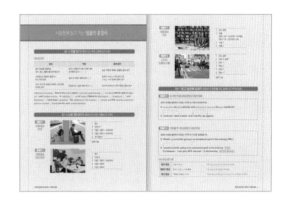

저자 직강 유료 온라인 강의

15개 템플릿의 체계적인 학습을 위해 저자 직강 온라인 강의를 제공합니다. 자세한 정보는 시원스쿨LAB 사이트를 확인해 주세요.

도서 구매 독자들에게 제공되는 실전 모의고사 3회분 해설 특강 및 MP3 음원은 시원스쿨LAB 사이트를 참고해 주세요.

(lab.siwonschool.com)

학습 플랜

1주 완성 플랜

단기간에 점수가 필요한 분들을 위한 학습 계획입니다. 토익 점수가 800점 이상이거나 토익스피킹 학습 경험이 있는 분들에게 추천합니다.

Day 1	Day 2	Day 3	Day 4	Day 5	Day 6	Day 7
Q1-2	Q3-4	Q5-7	Q8-10	Q11	실전 모의고사 1-2회	실전 모의고사 3회
	템플릿 1,2,3,4	템플릿 5,6,7	템플릿 8,9,10,11,12	템플릿 13,14,15		전체내용 복습
☐	☐	☐	☐	☐	☐	☐

• 하루에 7시간 이상 학습시간을 확보해주세요.

• 학습을 시작하기에 앞서 전날 학습한 내용을 복습해주세요.

• 학습을 마치기 전에 어려웠던 부분을 복습해주세요.

• 학습 내용의 이해도에 따라 전체내용의 복습을 6일차에 진행할 수 있습니다.

2주 완성 플랜

토익스피킹을 처음 준비하거나 영어에 대한 기초가 부족한 분들을 위한 학습 계획입니다.

Day 1	Day 2	Day 3	Day 4	Day 5	Day 6	Day 7
Q1-2	Q3-4	Q3-4	Q5-7	Q5-7		Q8-10
전체 학습	기초 이론 학습하기 템플릿 1,2	템플릿 3,4 실전 연습하기	기초 이론 학습하기 템플릿 5,6	템플릿 7 실전 연습하기	중간 복습 및 추가 실전연습	템플릿 8,9 실전 연습하기
☐	☐	☐	☐	☐	☐	☐

Day 8	Day 9	Day 10	Day 11	Day 12	Day 13	Day 14
Q8-10	Q11	Q11		실전 모의고사 1회	실전 모의고사 2회	실전 모의고사 3회
템플릿 10,11,12 실전 연습하기	기초 이론 학습하기 템플릿 13,14	템플릿 15 실전 연습하기	중간 복습 및 추가 실전연습			
☐	☐	☐	☐	☐	☐	☐

- 하루에 4시간 이상 학습시간을 확보해주세요.
- 학습을 시작하기에 앞서 전날 학습한 내용을 복습해주세요.
- 파트 내 각 챕터를 빠짐없이 순서대로 학습해주세요.
- 학습이 빨리 끝난 날은 다음날에 학습할 내용을 예습하거나 실전 문제를 추가로 연습해주세요.
- 학습을 마치기 전에 어려웠던 부분을 복습해주세요.

목차

Questions 1-2 | Read a text aloud 지문 읽기

Questions 3-4 | Describe a picture 사진 묘사하기

Questions 5-7 | Respond to questions 듣고 질문에 답하기

Questions 8-10 | Respond to questions using information provided
제공된 정보를 사용하여 질문에 답하기

Question 11 | Express an opinion 의견 제시하기

Actual Test | 실전 모의고사

부록 시험장에 들고 가는 템플릿 총정리

Questions
1-2

Read a text aloud
지문 읽기

기초 다지기

문제 구성

문제 번호	준비 시간	답변 시간	배점
2문제 (1, 2번)	문항별 45초	문항별 45초	각 3점

시험 진행 순서

> **TOEIC Speaking**
>
> **Questions 1-2: Read a text aloud**
>
> **Directions :** In this part of the test, you will read aloud the text on your screen. You will have 45 seconds to prepare. Then you will have 45 seconds to read the text aloud.

① 시험 안내문

문제 진행 방식을 설명하는 안내문을 화면에 보여준 뒤 이를 음성으로 들려줍니다.

> **TOEIC Speaking**　　**Question 1 of 11**
>
> Thank you for joining us at Perkins Business Workshop. In today's workshop, we will learn how to manage your own business. Each session will give you a chance to improve your ideas for producing, designing and marketing your products. Also, we will have a competition for the Perkins business prize which selects the most valuable ideas presented during the workshop.
>
> **PREPARATION TIME**
> **00:00:45**

② 준비 시간

화면에 첫 번째 지문이 등장하며 45초의 준비 시간이 주어집니다.

> **TIP** 준비 시간 동안 지문을 소리내서 읽어 주세요.

> **TOEIC Speaking**　　**Question 1 of 11**
>
> Thank you for joining us at Perkins Business Workshop. In today's workshop, we will learn how to manage your own business. Each session will give you a chance to improve your ideas for producing, designing and marketing your products. Also, we will have a competition for the Perkins business prize which selects the most valuable ideas presented during the workshop.
>
> **RESPONSE TIME**
> **00:00:45**

③ 답변 시간

준비 시간이 끝나면 45초의 답변 시간이 주어집니다. 답변 시간이 끝나면 두 번째 지문이 등장하며, 같은 방식으로 진행됩니다.

출제 경향

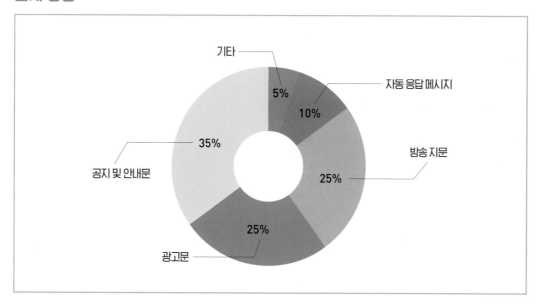

출제 유형

주제	내용
공지 및 안내문	공공장소, 회사, 매장이나 특정 프로그램에서 들을 수 있는 안내문을 읽게 됩니다. 🔊 Attention passengers. Due to the storm we're currently experiencing, no planes will be able to take off until further notice. 승객 여러분, 주목해주세요. 현재 폭풍우로 추후 공지가 있을 때까지 모든 비행기의 이륙이 불가능합니다.
광고문	매장을 홍보하거나 새로운 제품을 광고하는 지문을 읽게 됩니다. 🔊 Welcome to Aroma Naturals. Today only, you can buy two candles for the price of one. 아로마 내추럴스에 오신 것을 환영합니다. 오늘 하루만, 두 개의 초를 한 개 가격에 구매할 수 있습니다.
방송 지문	날씨 예보, 교통상황 안내, 프로그램 사회자의 멘트 같은 방송 지문을 읽게 됩니다. 🔊 In other news, film actress Tracy Black is launching her own brand of cosmetic products. 다른 소식으로는, 영화 배우 트레이시 블랙이 그녀의 새로운 화장품 브랜드를 출시합니다.
자동 응답 메시지	회사나 매장에 전화를 걸었을 때 들을 수 있는 자동 응답 메시지를 읽게 됩니다. 🔊 Thank you for calling Nick's Greek Restaurant. To make a reservation, leave your name and number. We'll call you back soon. 닉스 그리스 레스토랑에 전화해주셔서 감사합니다. 예약을 하려면 이름과 전화번호를 남겨주세요. 곧 연락 드리겠습니다.

준비 시간 활용법

Questions 1-2: Read a text aloud

Directions : In this part of the test, you will read aloud the text on your screen. You will have 45 seconds to prepare. Then you will have 45 seconds to read the text aloud.

① 안내문

안내문을 음성으로 들려줄 때, 이를 따라 읽어보세요. 긴장 완화에 도움이 됩니다.

TOEIC Speaking **Question 1 of 11**

Thank you for joining us at Perkins Business Workshop. In today's workshop, we will learn how to manage your own business. Each session will give you a chance to improve your ideas for producing, designing and marketing your products. Also, we will have a competition for the Perkins business prize which selects the most valuable ideas presented during the workshop.

PREPARATION TIME
00:00:45

② 준비 시간 45초

준비 시간 동안 아래의 사항에 유의해 지문을 소리 내어 읽어주세요.

· 1-2번 문제에서는 노트테이킹을 하지 않습니다.

· 발음이 어려운 단어는 반복해서 읽어 두세요.

· 지문을 한 번 읽은 뒤 시간이 남았다면 남은 시간 동안 지문의 초반부를 다시 읽어 두세요. 많은 수험자가 답변 초반에 실수를 합니다.

TOEIC Speaking **Question 1 of 11**

Thank you for joining us at Perkins Business Workshop. In today's workshop, we will learn how to manage your own business. Each session will give you a chance to improve your ideas for producing, designing and marketing your products. Also, we will have a competition for the Perkins business prize which selects the most valuable ideas presented during the workshop.

RESPONSE TIME
00:00:45

③ 답변 시간 45초

큰 목소리로 차분하게 지문을 읽어주세요.

만약 지문을 읽다가 실수를 했다면 당황하지 마시고 실수한 부분부터 다시 읽어주세요.

또한, 답변 시간이 남았다면 차분히 대기해주세요.

목표 레벨별 학습 전략

130-150점 목표

· 자신감 있는 목소리로 지문을 읽는 것이 가장 중요합니다.

· 일정한 속도와 리듬으로 지문을 읽어주세요.

· 스마트폰으로 자신의 답변을 녹음해서 들어보며, 부족한 부분을 반복 연습해주세요.

160점 이상 목표

· 130-150점 목표 전략에 따라 학습해주세요.

· 발음이 어려웠던 단어 및 문장을 정리한 뒤, 그것을 반복 연습해주세요.

· 현장감을 살려 읽는 연습을 해주세요. 녹음한 답변을 들어보며 내 답변의 성량, 어조, 뉘앙스가 현장에서 쓰이기에 문제가 없었을까 생각해보세요.

점수별 답변 분석

아래의 지문을 먼저 읽어본 뒤, 제공되는 학생들의 점수별 실제 답변과
제이크쌤의 답변 피드백을 QR 코드로 확인해보세요.

실제 답변 &
제이크쌤 총평 들어보기

> In local news, the Department of Public Transportation finished making changes to
> the train service. The proposal, which was introduced on May 17th, will finally make
> it easier for residents to travel around the city. The plan includes additional trains,
> new routes, and earlier services. For more on the story, Marcelo Ramirez is joining us
> from the Bundaberg train station.

2점 답변 피드백

In local news, the Department of Public Transportation finished making changes to the train service.	⊙ 크고 자신 있는 목소리로 답변을 시작했습니다. ✕ 각 단어를 자연스럽게 연결하지 않고 하나씩 어색하게 끊어 읽었습니다.
The proposal which was introduced on May 17th will finally make it easier for residents to travel around the city.	✕ 17th가 70th 처럼 들립니다. ✕ 긴 문장의 끊어 읽기가 자연스럽지 않습니다.
The plan includes additional trains, new routes, and earlier services.	⊙ 열거된 세 명사의 억양에 유의해서 답변했습니다. ✕ services에서 마지막의 s가 한번만 발음되었습니다.
For more on the story, Marcelo Ramirez is joining us from the Bundaberg train station.	✕ 의미가 약한 전치사(for)를 너무 세게 발음했습니다. ⊙ 고유명사의 발음이 정확하지 않았지만 위축되지 않고 자신 있게 발음했습니다.

제이크쌤 총평

▸ 자신감 있는 목소리로 답변하였으나 문장의 강세와 끊어 읽기가 자연스럽지 않았습니다.

▸ 서둘러 답변을 하다 보니 작은 실수가 여러 개 있었습니다.

In local news, the Department of Public Transportation finished making changes to the train service. The proposal, which was introduced on May 17th, will finally make it easier for residents to travel around the city. The plan includes additional trains, new routes, and earlier services. For more on the story, Marcelo Ramirez is joining us from the Bundaberg train station.

만점 답변 피드백

In local news, the Department of Public Transportation finished making changes to the train service.	⊙ 크고 자신 있는 목소리로 답변을 시작했습니다. ⊙ 실수하기 쉬운 자음 P와 F, 그리고 L과 R을 잘 구분해서 발음해주었습니다.
The proposal which was introduced on May 17th will finally make it easier for residents to travel around the city.	⊙ 중요도가 높은 단어를 세게 읽어주어 알리고자 하는 내용을 효과적으로 전달하고 있습니다. ⊙ 긴 문장의 끊어 읽기가 자연스러웠습니다. ✗ 입모양을 크게 하지 않아서 travel이 trouble처럼 들립니다.
The plan includes additional trains, new routes, and earlier services.	⊙ 열거된 세 명사의 억양에 유의해서 답변했으며, 각 명사 사이에서 충분히 끊어 읽어주었습니다.
For more on the story, Marcelo Ramirez is joining us from the Bundaberg train station.	⊙ 고유명사를 자신 있게 읽어주었습니다. ✗ 답변의 속도가 약간 빨라서 특정 단어의 발음이 명확하지 않습니다. (train)

제이크쌤 총평

‣ 강세, 억양, 끊어 읽기에 유의해서 지문을 읽었습니다.
‣ 뉴스 지문을 현장감을 살려 아나운서처럼 읽으려 노력했습니다.
‣ 난이도가 높은 어휘를 위축되지 않고 자신 있게 읽어주었습니다.

본격적인 템플릿 학습에 앞서, 1-2번 문제의 주요 평가 항목인 강세, 억양, 끊어 읽기에 대해서 학습해보겠습니다.

강세

지문 내에서 중요한 정보를 전달하는 단어는 다른 단어보다 큰 목소리로 읽어줍니다. 붉은색으로 표시된 강세 부분에 유의하며 아래의 지문을 소리내어 읽어보세요.

◁)) MP3 1_1

In local news, the Department of Public Transportation finished making changes to the train service. The proposal, which was introduced on May 17th, will finally make it easier for residents to travel around the city. For more on the story, Marcelo Ramirez is joining us from the Bundaberg train station.

지역 소식으로는, 대중교통부서가 열차 서비스에 대한 변경을 마쳤습니다. 5월 17일에 도입된 이 안건은 드디어 주민들이 도시 내에서 더 쉽게 이동할 수 있게 해줄 것입니다. 더 자세한 이야기를 위해 마르셀로 라미레스가 번더버그 기차역에 나가 있습니다.

어휘   department 부서   public transportation 대중교통   proposal 안건, 제안

- **중요한 정보를 전달하는 명사, 동사, 형용사에 강세를 두어 읽어주세요.**
  In local news, the Department of Public Transportation finished making changes to the train service.

  TIP 명사구(형용사+명사), 복합 명사(명사+명사)는 두 단어 모두 강세를 두어 읽어주세요.

- **고유명사에 강세를 두어 읽어주세요. 발음하는 법을 모른다 할지라도 한 단어씩 자신 있게 읽어주세요.**
  Marcelo Ramirez is joining us from the Bundaberg train station.

- **문장 내에서 중요한 의미를 갖는 강조어에 강세를 두어 읽어주세요.**
  The proposal, which was introduced on May 17th will finally make it easier for residents to travel around the city.

고득점 포인트

자주 출제되는 강조어 TOP 5

숫자	flight 304, June 15th	부정어	not, no, never
비교급 및 최상급	bigger, biggest	한정사	all, each, every
시간 부사	soon, now, finally, always, just, today		

억양

지문 내 억양을 살려 현장감 있게 읽기 위해서는 단어의 마지막 음을 상황에 맞게 올리거나 내려서 발음하는 것이 중요합니다. 이에 유의하며 아래의 지문을 소리내어 읽어보세요.

🔊 MP3   1_2

May I have your attention please?↗ Lunch for all conference attendees is now being served in the cafeteria↘. It includes salad↗, a main course↗, and dessert↘. After you have finished your meal↗, please return to the conference hall for the remaining presentations↘. Enjoy your lunch! ↘

잠시 주목해 주시겠습니까? 컨퍼런스 참여자를 위한 점심 식사가 현재 구내식당에서 제공되고 있습니다. 샐러드와 메인 요리, 그리고 디저트가 식사에 포함됩니다. 식사를 마친 뒤, 남은 프레젠테이션을 위해 회의장으로 돌아와주세요. 그럼 즐거운 점심 식사 되세요!

어휘   **attendee** 참석자   **serve** 제공하다   **remaining** 남아있는, 남은

- **쉼표**가 붙은 단어는 마지막 음을 올려 읽습니다.

  After you have finished your meal↗, please return to the conference hall for the remaining presentations.

- 세 가지 **명사** 혹은 **형용사**가 **열거**된 경우 처음 두 항목의 끝 음을 올리고 마지막 항목은 내려서 읽어주세요.

  It includes salad↗, a main course↗, and dessert↘.

- **be동사, 조동사를 사용한 의문문**은 끝 음을 올려줍니다.

  May I have your attention please?↗

  TIP   의문사(what, when 등)로 시작하는 의문문은 끝음을 내려서 읽지만, 이는 1-2번 문제에 잘 등장하지 않습니다.

- **마침표**나 **느낌표**가 붙은 단어는 끝 음을 자연스럽게 내려주세요.

  Lunch for all conference attendees is now being served in the cafeteria↘.

  Enjoy your lunch! ↘

끊어 읽기

지문을 읽을 때 적절한 지점에서 끊어 읽어주면 발음하기가 더 쉬워질 뿐 아니라 듣는이(채점자)가 내 말을 더 잘 이해할 수 있게 됩니다.

◁»MP3   1_3

Thank you for visiting Westin Appliances. // In the kitchen department, / a variety of coffee makers / imported from Italy / are 25% off the regular price today. // These appliances are compact, / attractive, / and convenient. // And as always, / when you buy any kitchen items, / you'll receive a 10% discount coupon for your next purchase / or a 5% instant discount.

웨스틴 가전제품 매장에 방문해 주셔서 감사드립니다. 오늘 주방용품 코너에서는 이탈리아에서 수입된 다양한 커피 메이커들이 정가에서 25% 할인된 가격에 판매되고 있습니다. 이 제품들은 작고 매력적이며 편리합니다. 그리고 항상 그렇듯 주방용품을 구매하시면 다음 번 구매 시 사용 가능한 10% 할인 쿠폰이나 5% 현장 할인을 받을 것입니다.

어휘 **import** 수입하다 **appliance** 기기, 가전제품 **compact** 작은, 소형의 **instant** 즉시의, 즉각의

- **쉼표**와 **마침표** 뒤에서 길게 끊어 읽어주세요.

  These appliances are compact, / attractive, / and convenient. //

- 단어나 문장을 연결하는 **접속사 and, but, or** 앞에서 짧게 끊어 읽어주세요.

  You'll receive a 10% discount coupon for your next purchase / or a 5% instant discount.

- **분사 구문** 앞에서 짧게 끊어 읽어주세요. 동사가 -ing, -ed 형태로 변형되어 사용되는 분사구문은 바로 앞의 명사를 꾸며주는 형용사 역할을 합니다.

  A variety of coffee makers / imported from Italy are 25% off the regular price today.

  TIP 분사 구문은 동사가 -ing나 -ed 형태로 변형되어 바로 앞의 명사를 꾸며주는 역할을 합니다.

- **주어가 세 단어 이상**인 경우, 동사 앞에서 길게 끊어 읽어주세요.

  A variety of coffee makers / imported from Italy / are 25% off the regular price today.
  　　　　　　　주어

강세, 억양, 끊어 읽기에 유의해서 앞서 배운 지문을 다시 한 번 읽어보세요.

1　In local news↗, / the Department of Public Transportation / finished making changes to the train service↘. // The proposal↗, / which was introduced on May 17th↗, / will finally make it easier for residents to travel around the city↘. // For more on the story↗, / Marcelo Ramirez is joining us from the Bundaberg train station↘.

2　May I have your attention please?↗ // Lunch for all conference attendees / is now being served in the cafeteria↘. // It includes salad↗, / a main course↗, / and dessert↘. // After you have finished your meal↗, / please return to the conference hall / for the remaining presentations↘. // Enjoy your lunch!↘

3　Thank you for visiting Westin Appliances↘. // In the kitchen department↗, / a variety of coffee makers / imported from Italy / are 25% off the regular price today↘. // These appliances are compact↗, / attractive↗, / and convenient↘. // And as always↗, / when you buy any kitchen items↗, / you'll receive a 10% discount coupon for your next purchase / or a 5% instant discount↘.

주어진 지문을 읽는 1-2번 문제에서는 답변 템플릿이 따로 존재하지 않습니다. 따라서, 대표 유형별 자주 출제되는 표현을 학습해 보겠습니다. 1-2번 문제의 지문은 크게 공지 및 안내문, 광고문, 방송 지문, 자동응답 메시지의 네 가지 종류로 나뉩니다.

유형 1 공지 및 안내문

고객에게 중요한 정보를 공지하거나 프로그램 참여자에게 진행 순서 및 구성을 설명하기 위한 내용으로, 중요도가 높은 어휘에 강세를 두어 읽는 것이 중요합니다.

강세, 억양, 끊어 읽기에 유의해서 아래의 지문을 소리 내어 읽어보세요. 🔊 MP3 1_5

Dear visitors↗, / we'd like to inform you / that the Clemton Museum is closing in thirty minutes↘. // We ask that you proceed to the front doors soon↘. // Before you leave↗, / please remember to return all audio guides↗, / video guides↗ / and headsets↘ to the admissions desk↘. // Also↗, / don't forget to collect your belongings from the coat check↘. // Thank you for visiting Clemton Museum↘.

방문객 여러분, 클렘턴 박물관이 30분 뒤 폐장 예정임을 알려드립니다. 곧 정문으로 이동해 주시기 바랍니다. 떠나시기 전에 모든 오디오 가이드, 비디오 가이드 그리고 헤드셋을 입장 안내소에 반납해야 함을 기억해주세요. 또한, 코트 보관소에 맡긴 소지품을 챙기는 것을 잊지 마세요. 클렘턴 박물관에 방문해 주셔서 감사드립니다.

강조글씨 강세 / 끊어 읽기 ↗ 올려 읽기 ↘ 내려 읽기

어휘   **inform** 알리다   **proceed** 이동하다   **admission** 입장, 들어감   **belongings** 소지품

빈출 표현 TOP 8

공지 및 안내문 유형에서 자주 출제되는 표현을 반복해서 읽어보세요.

We'd like to inform you that ~	~을 알려드립니다
It is important to ~	~하는 것이 중요합니다
Thank you for ~	~에 감사드립니다
If you need ~,	~가 필요하시면,
Don't forget to ~	~을 잊지 마세요
You will have a chance to ~	~할 기회가 있을 것입니다
For additional(further) information,	더 많은 정보를 원하시면,
Please keep in mind that ~	~을 기억해두세요

빈출 표현 연습하기   🔊 MP3   1_6

강세, 억양, 끊어 읽기에 유의하여 아래의 문장을 반복해서 읽어보세요.

1 We'd like to inform you / that the boarding gate has been changed to 8.

탑승 게이트가 8번으로 변경되었음을 알려드립니다.

> **TIP** 관계사 that 앞에서 끊어 읽어주세요.

2 It is important to return to the bus within 30 minutes.

30분 이내에 버스로 돌아오는 것이 중요합니다.

3 Thank you for attending Forestville Business Workshop.

포레스트빌 비즈니스 워크샵에 참석해 주셔서 감사드립니다.

> **TIP** Thank 외에도 문장의 첫 단어로 잘 나오는 Welcome, Please, Attention에 강세를 두어 읽어주세요.

4 If you need any help↗, / please visit any customer service counter.

도움이 필요하시면, 고객 서비스 카운터로 방문해주세요.

5 Don't forget to return the goggles to the reception desk.

고글을 접수처에 반납하는 것을 잊지 마세요.

6 You will have a chance to meet the director in person / and ask questions.

감독을 직접 만나서 질문을 할 기회가 있을 것입니다.

7 For additional information↗, / please feel free to ask questions to any staff nearby.

더 많은 정보를 원하시면, 근처에 있는 직원에게 편하게 질문해주세요.

> **TIP** 모음이 두 개 연속으로 사용된 단어는 길게 발음해주세요. (please, feel, free)

8 Please keep in mind / that the lounge is not available until next Tuesday.

다음주 화요일까지 휴게실을 사용할 수 없다는 것을 기억해두세요.

연습 문제   🔊 MP3   1_7

아래의 지문을 소리 내어 읽어보세요.

Thank you for attending today's presentation on online marketing. Our first speaker, Lisa Kudrow, has published a new book on using the Internet to market new products. Her talk will be focused on recent business trends including online businesses, new software, and various media resources. After the talk, you will have a chance to ask her questions.

정답 및 해설 **p.4**

매장을 홍보하거나 새로운 제품을 광고하는 지문이 출제됩니다. 광고문의 특성상 밝고 자신감 있는 목소리로 읽어주는 것이 중요합니다.

강세, 억양, 끊어 읽기에 유의해서 아래의 지문을 소리 내어 읽어보세요.　　　　　　　　　🔊 MP3 1_8

If you are looking for reasonably priced meals in a fun environment ↗ / look no further than Julia's Kitchen on Clifton Street ↗ / the newest casual restaurant with something for everyone ↘ // Our mission is to serve breakfast ↗ / lunch ↗ / and dinner ↘ quickly / and with a smile ↘ // For a limited time only ↗ / children under the age of 12 / can get a free meal ↘

만약 여러분이 즐거운 분위기에서 합리적인 가격으로 식사할 곳을 찾는다면, 모든 분들을 위한 최신 캐주얼 레스토랑이자 클리프턴 가에 위치한 줄리아 키친 외에 다른 곳은 찾아볼 필요가 없습니다. 저희의 목표는 아침, 점심 그리고 저녁 식사를 미소와 함께 신속히 제공하는 것입니다. 한정된 기간에만 12세 이하의 어린이는 무료로 식사를 할 수 있습니다.

강조글씨 강세 / 끊어 읽기 ↗ 올려 읽기 ↘ 내려 읽기

어휘 **reasonably** (가격이) 타당하게, 합리적으로 **priced** 가격이 책정된 **limited** 한정된, 제한된

빈출 표현 TOP 8

광고문 유형에서 자주 출제되는 표현을 반복해서 읽어보세요.

If you are looking for ~,	~를 찾고 있다면,
Come and see ~	~을 보러 오세요
You'll receive ~	~를 받을 것입니다
You'll find ~	~을 발견할 것입니다
Don't miss this opportunity to ~	~할 기회를 놓치지 마세요
To learn more about ~,	~에 대해 더 알고 싶으시면,
Call us right now and ~	지금 바로 전화 주셔서,
Please visit our website to ~	~하기 위해 저희 웹사이트를 방문하세요

고득점 포인트

현장감 살려 읽기

광고문은 현장감을 살려서 읽는 것이 중요합니다. 자신의 답변을 녹음해서 들어보면서 내 답변의 성량, 어조 및 뉘앙스가 실제 광고문에 적합한지 생각해 보세요.

빈출 표현 연습하기

🔊 MP3 1_9

강세, 억양, 끊어 읽기에 유의하여 아래의 문장을 반복해서 읽어보세요.

1　If you are looking for a place to host a party ↗,

파티를 열기 위한 장소를 찾고 있다면,

2　Come / and see our outstanding selection of shoes / for the entire family.

온 가족을 위한 우리의 멋진 신발들을 보러 오세요.

　　TIP　세 단어 이상으로 구성된 긴 전치사구 앞에서 짧게 끊어 읽어주세요.

3　If you purchase any two books, you'll receive a third one free.

책 두 권을 구입하시면, 세 번째 책은 무료로 받을 수 있습니다.

4　You'll find everything you need right here / at Smithfield's Hardware Store.

필요한 모든 것을 바로 여기 스미스필드 철물점에서 찾을 수 있을 것입니다.

5　Don't miss this opportunity to buy the latest laptop computer / at a low cost.

최신 노트북 컴퓨터를 저렴하게 구매할 기회를 놓치지 마세요.

6　To learn more about our collection ↗, / please speak to one of our staff members.

저희의 컬렉션에 대해 더 자세히 알고 싶으시면 저희 직원에게 말씀해주세요.

7　Call us right now / and find out more about the Glenfield Conference Center.

지금 바로 전화하셔서 글렌필드 컨퍼런스 센터에 대해 자세히 알아보세요.

8　Please visit our website to make a reservation / at a discounted price.

할인된 가격으로 예약을 하려면 저희 웹사이트를 방문해주세요.

연습 문제

🔊 MP3 1_10

아래의 지문을 소리 내어 읽어보세요.

Attention shoppers! Today only at Queen Furniture Store, all customers will receive a free pillow set with the purchase of any sofa. Also, don't miss this opportunity to get a 10% extra discount on mattresses, chests, and dressers. To learn more about our special offers, please speak to one of our sales people or visit our website. Thanks for shopping at Queen Furniture Store.

정답 및 해설　p.4

뉴스, 프로그램 사회자의 멘트 등 다양한 방송 지문이 등장합니다. 아나운서가 방송에서 말하는 것처럼 서두르지 말고 명확하게 읽어주세요.

강세, 억양, 끊어 읽기에 유의해서 아래의 지문을 소리 내어 읽어보세요.　　　　　　　　📢MP3 1_11

In other news↗, / the owner of Henry's Cheeseburger announced / that his restaurants will be using locally grown vegetables↘. // This means / that the lettuce↗, / tomatoes↗, / and onions on their burgers↘ / will come from Brownwood↘. // Though this change will cost the company more money↗, / the owner says / that he is firmly committed to supporting local farmers↘.

다른 소식으로는, 헨리 치즈버거의 대표가 앞으로 그의 식당이 현지에서 재배된 야채를 사용할 것이라고 발표했습니다. 이것은 햄버거에 들어가는 상추, 토마토 그리고 양파가 브라운우드 지역에서 공급될 것임을 의미합니다. 비록 이 변화로 회사는 더 많은 비용을 쓰게 되겠지만, 대표는 지역 농부들을 지원하는데 전념할 것이라고 확고히 밝혔습니다.

강조글씨 강세 / 끊어 읽기　↗ 올려 읽기　↘ 내려 읽기

어휘　locally 현지에서　firmly 확고히　be committed to ~ ~에 헌신하다　support 지지하다

빈출 표현 TOP 8

방송 지문 유형에서 자주 출제되는 표현을 반복해서 읽어보세요.

Good morning, and welcome to ~	안녕하세요, ~에 오신 것을 환영합니다
Today on ~,	오늘 ~에서는,
We are expecting ~	~가 예상됩니다
Stay tuned for ~	~을 위해 채널을 고정해주세요
We're glad to announce ~	~을 알리게 되어 기쁩니다
If you haven't ~,	아직 ~하지 않았다면,
Our next guest is ~	다음 초대 손님은 ~입니다
Please join me in ~	함께 ~해주세요

빈출 표현 연습하기

◁» MP3 1_12

강세, 억양, 끊어 읽기에 유의하여 아래의 문장을 반복해서 읽어보세요.

1 Good morning↗, / and welcome to *Chef at Home*.

안녕하세요, 셰프 엣 홈에 오신 것을 환영합니다.

> **TIP** 고유명사인 프로그램명은 강세를 두어 읽어주세요.

2 Today on Simple Steps↗, / we'll talk about how to best match jewelry with your clothing.

오늘 심플 스텝스에서는 옷에 가장 잘 어울리는 보석을 고르는 방법에 대해 이야기할 것입니다.

3 We are expecting strong winds / and heavy rain tonight.

오늘 밤 강한 바람과 폭우가 예상됩니다.

4 Stay tuned for more information / on the current traffic conditions.

현재 교통 상황에 대한 더 많은 정보를 원하시면 채널을 고정해주세요.

5 We are glad to announce the new TV series / Mind Hunters.

새로운 TV 시리즈인 마인드 헌터스를 발표하게 되어 기쁩니다.

6 If you haven't seen this film yet↗, / be sure to watch it soon.

아직 이 영화를 보지 않았다면, 조만간 꼭 보시기 바랍니다.

7 Our next guest is Dr. Ken Schofield↗, / who has a new book about maintaining a healthy lifestyle.

다음 게스트는 건강한 생활 방식을 유지하는 것에 관하여 새로운 책을 출간한 켄 스코필드 박사입니다.

8 Please join me in welcoming John Morris to the stage.

저와 함께 존 모리스씨를 무대로 맞이해주세요.

연습 문제

◁» MP3 1_13

아래의 지문을 소리 내어 읽어보세요.

Good evening and welcome to Channel Eight News. Tonight, we'll be covering the opening of a new shopping center, upcoming festivals, and yesterday's soccer games. We'll also give you this weekend's weather forecast. But first, we have some news about ongoing construction projects. Stay tuned for more information and we'll be right back after a short commercial.

정답 및 해설 p.5

유형 4 **자동 응답 메시지**

회사나 매장에 전화를 했을 때 들을 수 있는 자동 응답 메시지를 읽게 됩니다. 중요도가 높은 정보인 매장 이름, 내선 번호, 영업 시간 관련 표현에 강세를 두어 읽어주세요.

강세, 억양, 끊어 읽기에 유의해서 아래의 지문을 소리 내어 읽어보세요.   🔊 MP3 1_14

Thank **you for calling** Westlink Communication Service↘. // **For questions about your** accounts↗, / please **press** 1↘. // **For** technical support **regarding our** software↗, / wireless Internet service↗ / **or communication devices**↗, / **press** 2↘. // **If you would like to speak to** a customer service agent↗, / please stay **on the line**↘. // **As always**↗, / we appreciate **your** call↘.

웨스트링크 커뮤니케이션 서비스에 전화해주셔서 감사합니다. 계정에 대한 문의를 하시려면 1번을 누르세요. 소프트웨어, 무선 인터넷 서비스 또는 통신 장치에 대한 기술 지원을 받으려면 2번을 누르세요. 고객 서비스 직원과 통화를 하고 싶으시면 기다려 주시기 바랍니다. 연락주셔서 항상 감사드립니다.

강조글씨 강세 / 끊어 읽기 ↗ 올려 읽기 ↘ 내려 읽기

어휘   **account** 이용 계정   **technical support** 기술적 지원   **device** 장치, 기구   **customer service agent** 고객 서비스 담당자

   stay on the line (전화를 끊지 않고) 기다리다

빈출 표현 TOP 8

자동 응답 메시지 유형에서 자주 출제되는 표현을 반복해서 읽어보세요.

Thank you for calling ~	~에 전화해주셔서 감사합니다
You have reached ~	~에 연락주셨습니다
We are located ~	저희 매장은 ~에 위치해 있습니다
We are unavailable to ~	저희는 ~할 수 없습니다
To ~, please press 1.	~하려면 1번을 눌러주세요
For ~, press 2.	~에 관해서는 2번을 눌러주세요
If you want to ~	~하기를 원하시면,
Our business hours are ~	저희 영업시간은 ~입니다

빈출 표현 연습하기

MP3 1_15

강세, 억양, 끊어 읽기에 유의하여 아래의 문장을 반복해서 읽어보세요.

1 Thank **you for** calling Blue Stones.
   블루 스톤즈에 전화해주셔서 감사합니다.

2 **You have** reached **the** Westwood Magazine customer service.
   웨스트우드 매거진 고객 서비스에 연락주셨습니다.

3 **We are** located **on** Bradford Street.
   저희 매장은 브래드퍼드 가에 위치해 있습니다.

4 Unfortunately ↗, / **we are** unavailable **to take your** call **at the** moment.
   안타깝게도, 지금은 전화를 받을 수 없습니다.

5 To make / **or** cancel **an** appointment ↗, / please **press** one / **after the** beep.
   예약을 하거나 취소하려면 삐 소리 이후에 1번을 눌러주세요.

6 For locations ↗, / hours of operation ↗ / or to check existing reservations ↗, / press two ↘.
   위치, 영업시간 혹은 기존 예약 확인은 2번을 눌러주세요.

7 If you want to speak to a customer service agent ↗, / please stay on the line.
   고객 서비스 직원과 통화를 원하시면 끊지 마시고 기다려주세요.

8 Our business hours are from 9 A.M. to 4 P.M. on weekdays.
   저희 영업시간은 평일 오전 9시부터 오후 4시까지입니다.

연습 문제

MP3 1_16

학습한 내용에 유의해서 아래의 지문을 소리 내어 읽어보세요.

Thank you for calling the Sandy Flat Theater. If you want to purchase tickets for the upcoming shows, leave your name and phone number and we'll return your call. This week, our ticket office is open Monday through Thursday from 9 A.M. to 7 P.M. For information about current showings, schedules, and ticket prices, please visit our website.

정답 및 해설 p.5

실전 연습

준비 시간과 답변 시간을 지켜 다음의 지문을 읽어보세요.

1 🔊 MP3 1_17   준비 시간 45초, 답변 시간 45초

TOEIC Speaking	Question 1 of 11

> Attention travelers. Due to the storm we're currently experiencing, no plane will be able to take off until further notice. In addition, all of today's flights to Wellington, Auckland, and Blenheim have been canceled. For additional information, please visit the nearest customer service counter. Thank you for your understanding.

2 🔊 MP3 1_18   준비 시간 45초, 답변 시간 45초

TOEIC Speaking	Question 2 of 11

> If you are tired of the same old routine, come and visit Blackball Amusement Park. We have the fastest roller-coasters, the tastiest food, and the best entertainment. This month, all weekend admissions are half-off. And for this Sunday only, all visitors will receive a free coupon for a chocolate waffle from our world-famous waffle shop.

📖 정답 및 해설 p.6

3 MP3 1_19   준비 시간 45초, 답변 시간 45초

TOEIC Speaking	Question 1 of 11

Now for the local news, Queenstown International Film Festival will take place on Friday at the City Conference Center. You'll be able to enjoy works from various countries such as Canada, England, and Australia. This annual event was a huge success last year and over 15 thousand people came from all over the world to enjoy the festival. Sign up in advance so you don't miss it!

4 MP3 1_20   준비 시간 45초, 답변 시간 45초

TOEIC Speaking	Question 2 of 11

You have reached Hobart's Restaurant. We offer a great view, comfortable atmosphere, and outstanding foods from all over the world. Our hours of operation are from 11 A.M. until 10 P.M. every day except Mondays. If you are calling for directions to our restaurant, press 0. For other information, please contact us during our business hours. Thank you.

정답 및 해설 p.7

Q 저는 발음이 안 좋은데, 기초부터 다시 공부해야 할까요?

A 토익스피킹은 비즈니스 상에서 원어민과의 소통 가능 여부를 평가하는 시험으로, 원어민 수준의 영어를 구사해야 만점을 받을 수 있는 것은 아닙니다. 현장감을 살려 큰 목소리로 자신 있게 지문을 읽으면 발음이 좋지 않아도 1-2번 문제에서 만점을 받을 수 있습니다.

Q 발음은 1-2번 문제에서만 평가하나요?

A 1-2번 문제의 주요 채점 항목인 발음, 억양, 강세는 모든 문제에서 평가됩니다. 하지만 많은 수험자가 1-2번 문제에서만 발음에 유의하고 이후부터는 답변에 집중한 나머지 발음을 신경쓰지 못합니다. 고득점을 위해서는 항상 발음, 억양, 강세에 유의해서 답변해야 한다는 것을 잊지 마세요.

Q 지문을 읽는 도중에 조심해야 할 것이 있을까요?

A • 조동사 can을 동사 원형보다 강하게 읽으면 부정형인 can't로 들릴 수 있으니 유의해주세요.

You can buy two items for the price of one.

• 전치사 to와 for를 강하게 읽으면 숫자 2와 4처럼 들릴 수 있으니 유의해주세요.

Main Street will be blocked from 2 to 4 P.M.

• 길이가 긴 지문은 끊어 읽기에 더 유의해주세요.

Don't forget / that we have everything you need / when you are looking for the excellent quality of used cars.

• s 발음을 두 번 연속으로 해야 하는 어휘가 시험에 자주 등장합니다. 놓치기 쉬운 부분이므로 유의해주세요.

prices, businesses, appliances

• 모음이 연속으로 사용된 단어는 길게 읽어주세요. 짧게 읽으면 다른 의미로 전달될 수 있으니 유의해 주세요.

reach-rich, leave-live, seat-sit

Q 발음이 어려운 고유명사가 나오면 어떻게 해야 할까요?

A 원어민들도 처음 보는 낯선 고유명사를 제대로 읽지 못하는 경우가 많습니다. 따라서 생소한 고유명사가 등장한 경우 잘못 읽어도 괜찮으니 당황하지 말고 자신 있게 발음하는 것이 중요합니다.

Q 시험장이 시끄럽지는 않을까요?

A 토익스피킹은 여러 사람이 한 곳에 모여 시험을 보기 때문에 시험장이 시끄러운 편입니다. 그로 인해 평소보다 긴장한 나머지 지문을 빨리 읽다가 실수하는 분들이 많습니다. 자신이 긴장을 많이 하는 편이라면 평소에 카페와 같은 시끄러운 장소에서 지문을 읽는 연습을 해보세요. 또한, 남들보다 조금 늦게 답변을 시작하는 것도 실수를 줄이는데 많은 도움이 됩니다.

Q 답변 시간이 많이 남는 편인데 괜찮을까요?

A 지문의 길이에 따라 차이는 있지만, 평균적으로 수험자들의 답변 시간은 10초 이상 남는 것이 일반적입니다. 그러니 지문을 천천히 또박 또박 읽어 주시고, 남은 시간동안 차분히 대기하면 됩니다.

Q 미국에서 채점이 된다고 알고 있는데, 영국식 영어를 사용하면 불이익이 있나요?

A 영국식 영어를 사용한다고 해서 불이익은 없습니다. 실제로 미국에서 채점을 하지만 채점관들의 국적은 미국 외에도 영국, 호주, 뉴질랜드, 캐나다 등으로 다양합니다.

중요 표현 정리

1-2번 문제에서 자주 등장하는 중요 어휘를 유형별로 정리했습니다. 강세에 유의해서 발음을 연습해주세요.

공지 및 안내문

announcement 발표	I'd like to make an announcement about renovations. 보수작업에 대해서 발표하고자 합니다.
competition 경연대회	We will start a competition for the Edwards Business Prize. 에드워즈 비즈니스 상을 위한 경연대회를 시작할 것입니다.
dramatically 상당히	It will change the appearance of your home dramatically. 이것은 집의 외관을 상당히 바꿀 것입니다.
experienced 경험이 많은	Remember the red paths are for experienced hikers only. 빨간 길은 경험이 많은 등산객 전용이라는 것을 잊지 마세요.
extraordinary 놀라운, 대단한	I hope you enjoy our extraordinary collections. 우리의 훌륭한 컬렉션을 즐기시기 바랍니다.
improvement 개선	We will show you a few home improvements that can be completed quickly. 우리는 빠르게 끝낼 수 있는 주택 개선책 몇 가지를 보여드릴 것입니다.
inconvenience 불편	We apologize for the inconvenience. 불편함을 드린 점 사과드립니다.
performance 공연	We've prepared performances for different age groups. 다양한 연령대를 위한 공연을 준비했습니다.
proceed ~로 이동하다	We invite you to proceed to the front doors. 입구로 이동해 주실 것을 요청 드립니다. **TIP** invite는 '초대하다' 외에도 '요청하다' 라는 의미를 가지고 있습니다.
prohibited 금지된	Touching objects on display in the museum is prohibited. 박물관에 전시된 물건을 만지는 것은 금지되어 있습니다.
tenant 입주자	Thank you for coming to our annual tenant meeting. 연례 입주자 회의에 참석해 주셔서 감사합니다.

광고문

additional 추가적인	This Saturday only, shoppers will receive an additional 10% discount. 이번 주 토요일에 한해, 구매하시는 분들은 쇼핑객분들은 10%의 추가 할인을 받을 것입니다.
admission 입장	This month, all weekday admissions are half-price. 이번 달에는 모든 평일 입장이 반값입니다.
affordable 금액이 적당한	There are a lot of affordable apartments we prepared for you. 여러분을 위해 준비한 적당한 가격의 아파트가 많습니다.
exclusive 전용의, 독점적인	You can get a variety of exclusive benefits if you become a member. 회원이 되면 다양한 전용 혜택을 받을 수 있습니다.
facilities 시설, 설비	Our conference center offers first-rate facilities and services. 저희 컨퍼런스 센터는 1등급 시설과 서비스를 제공합니다.
feature 특징, 특징으로 하다	The latest model features alloy wheels and an electronic alarm. 최신 모델은 합금 바퀴와 전자 경보 장치가 특징입니다.
ideal 이상적인	The Oakwood Hotel is the ideal accommodation for you. 오크우드 호텔은 당신을 위한 이상적인 숙박 시설입니다.
incredible 굉장한	Please check our incredible selection of fruits and vegetables. 우리가 선정한 굉장한 과일과 야채를 확인해보세요.
inexpensive 저렴한	We produce inexpensive and safe products. 우리는 저렴하고 안전한 제품을 만듭니다.
outstanding 우수한, 뛰어난	We offer outstanding foods from all over the world. 우리는 전 세계에서 온 뛰어난 음식을 제공합니다.
variety 다양성	A wide variety of books are on sale. 다양한 종류의 책들이 판매 중입니다.

방송 지문

aquarium 수족관	Bymount Aquarium will be closed because of the expansion work. 바이마운트 수족관은 확장 공사로 인해 문을 닫을 것입니다.
auditorium 강당	The film festival will take place on Saturday at the city hall auditorium. 영화제는 토요일에 시청 강당에서 열릴 것입니다.
available 구매 가능한	The product line will be available in stores starting next month. 이 제품 라인은 다음 달부터 매장에서 구매가 가능할 것입니다.
commit 약속하다	All nations have committed to making improvements in these areas. 모든 국가들이 이 분야에서 개선책을 만들기로 약속했습니다.
complete 끝나다, 마치다	The renovation will be completed next week. 보수작업은 다음주에 끝날 것입니다.
construction 공사	Due to road construction, Baker Street has been blocked. 도로 공사로 인해 베이커 가가 통제되었습니다.
contemporary 현대의, 현대적인	This program introduces the paintings of contemporary artists. 이 프로그램은 현대 화가들의 작품을 소개합니다.
diminish 줄어들다, 감소하다	The rain will diminish and finally stop later this morning. 비가 차차 줄어들다 오늘 아침 늦게 완전히 그칠 것입니다.
exhibition 전시회	The exhibition will be held for 3 days. 전시회는 3일간 열릴 것입니다.
temperature 기온	The temperature will go down from tomorrow. 내일부터 기온이 내려갈 것입니다.
temporarily 일시적으로	Several roads are temporarily closed. 몇몇 도로가 일시적으로 폐쇄되었습니다.

자동 응답 메시지

appreciate 감사하다	We appreciate your support. 당신의 후원에 감사드립니다.
business hours 영업시간	Please contact us again during our business hours. 영업시간에 다시 연락주세요.
currently 현재	Our business is currently closed. 현재 영업이 종료되었습니다.
emergency 긴급 상황	If it's an emergency, please wait for assistance from our standby staff. 긴급 상황이라면, 대기 직원의 도움을 기다려주세요.
inquiries 문의	For any other urgent inquiries, press zero. 다른 긴급한 문의는 0번을 눌러주세요.
look forward to ~을 고대하다	We are looking forward to your next visit. 고객님의 다음 방문을 고대하겠습니다.
operation 운영, 영업	For hours of operation, please press one. 영업시간은 1번을 눌러주세요.
reach ~에 연락하다	You have reached Morayfield Car Rentals. 모레이필드 렌터카에 연락 주셨습니다. **TIP** 'rich'와 구분되도록 첫 음절을 길게 발음해주세요.
representative 대리인(직원)	Please hold and our representative will be with you shortly. 잠시 기다리시면 저희 직원을 곧 연결해드리겠습니다.
unavailable ~할 수 없는	We are unavailable to take your call. 지금은 전화를 받을 수 없습니다.
unfortunately 안타깝게도	Unfortunately, all the operators are on the line. 안타깝게도, 모든 상담원이 통화 중입니다.

Questions
3-4

Describe a picture
사진 묘사하기

기초 다지기

문제 구성

문제 번호	준비 시간	답변 시간	배점
2문제 (3, 4번)	문항별 45초	문항별 30초	각 3점

시험 진행 순서

TOEIC Speaking

Questions 3-4: Describe a picture

Directions : In this part of the test, you will describe the picture on your screen in as much detail as you can. You will have 45 seconds to prepare your response. Then you will have 30 seconds to speak about the picture.

---

① 안내문

문제 진행 방식을 설명하는 안내문을 화면에 보여준 뒤 이를 음성으로 들려줍니다.

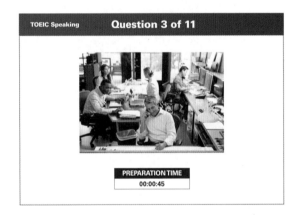

② 준비 화면

화면에 첫번째 사진이 등장하며 45초의 준비 시간이 주어집니다.

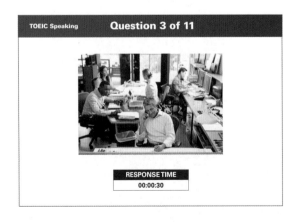

③ 답변 화면

준비 시간이 끝나면 30초의 답변 시간이 주어집니다. 답변 시간이 끝나면 두 번째 사진이 등장하며, 같은 방식으로 진행됩니다.

출제 경향

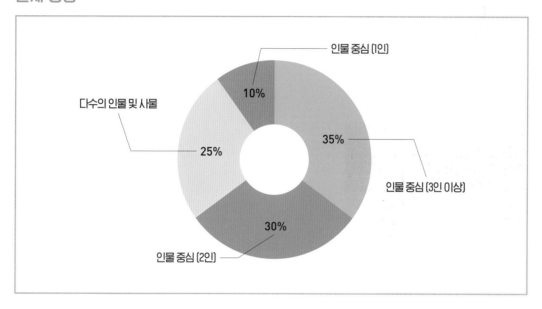

출제 유형

인물 중심 (3인 이상)

· 약 3~6명의 인물이 등장하는 유형입니다.

· 비중이 큰 순서대로 인물을 묘사하세요.

· 사진 내 인물을 모두 묘사하지 않아도 됩니다.

인물 중심 (2인)

· 2명의 인물이 등장하는 유형입니다.

· 인물의 동작을 정확하게 묘사하는 것이 중요합니다.

· 두 명 모두 인상착의를 설명해주세요.

Questions 3-4

다수의 인물 및 사물

· 다수의 인물과 사물이 등장하는 유형입니다.

· 준비시간 동안 묘사 순서를 결정해두세요.

· 비중이 큰 사물을 인물보다 먼저 묘사할 수 있습니다.

인물 중심 (1인)

· 1명의 인물이 등장하는 유형입니다.

· 인물의 동작이나 인상착의를 자세히 설명해주세요.

준비 시간 활용법

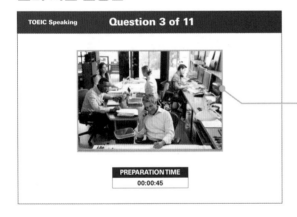

① 유형 확인

네가지 유형 중 어떤 유형이 출제되었는지 먼저 확인하세요.

인물 중심 (3인 이상)

(고득점 포인트)

Q 묘사하기 어려운 대상이 등장하면 어떻게 하죠?

A 인물이나 사물의 묘사 난이도가 높지만 사진 내 비중이 작다면 그것을 굳이 언급하지 않아도 됩니다. 하지만 사진 내 차지하는 비중이 크다면 준비시간 동안 더 쉽고 간결한 표현을 생각해두세요. (p.76 참조)

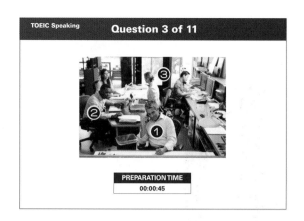

PREPARATION TIME
00:00:45

② 준비 시간 45초

· 중요도에 따른 대상의 묘사 순서를 결정하세요.

· 그 후 대상의 위치 및 대표 키워드를 생각해두세요. (인물의 동작, 사물의 이름 및 상태)

· 3-4번 문제에서는 노트테이킹을 권장하지 않습니다.

목표 레벨별 학습 전략

130-150점 목표

· 답변 제작을 위한 템플릿을 확실히 학습해주세요.

· 동작 묘사를 위한 필수 표현을 암기해주세요. p.78-79를 참조하세요.

· 머릿속에 떠오르는 표현을 그대로 영작하려 하기보다는 쉽고 간결한 표현을 이용해서 대상을 묘사하세요.

· 새로 학습한 표현을 정리해서 자신만의 아이디어 노트를 만드세요.

· 고득점을 받기 위해 꼭 많은 문장을 말해야 하는 것은 아닙니다. 답변 속도보다 문장의 문법적 완성도에 더 유의해주세요.

160점 이상 목표

· 130-150점 목표 전략에 따라 학습해주세요.

· 자신의 답변을 녹음해서 들어보며 발음이나 문법에 부자연스러운 부분이 있는지 확인해보세요.

· 일정한 리듬으로 자신 있게 답변하는 연습을 해주세요. 답변의 창작 구간에서 답변 속도 및 목소리 크기가 줄어드는 분들이 많습니다.

I think this picture was taken at a construction site.
　　　　템플릿 구간　　　　　　　　창작 구간

(고득점 포인트)

Q 답변 시간을 최대한 채워야 하나요?

A 답변의 길이와 점수가 비례하는 것은 아닙니다. 실제로 더 많은 대상을 묘사하려고 서두르다 기본적인 실수를 하는 수험자가 많습니다. 답변 시간이 남아도 괜찮으니 중요도가 높은 대상을 일정한 리듬으로 정확하게 묘사하는 연습을 해주세요.

점수별 답변 분석

아래 사진을 직접 묘사해본 뒤, 학생들의 점수별 실제 답변과 제이크쌤의 답변 피드백을 QR 코드로 확인해보세요.

2점 답변 피드백

장소	I think this picture was taken indoors.	⊗ 장소 어휘가 구체적이지 않습니다.
인원수	There are many people in this picture.	⊗ 답변 속도가 빠릅니다.
주요 대상	On the right side of the picture, a man is riding a bicycle.	⊗ 동사 'ride'는 해당 인물의 동작 묘사에 적합하지 않습니다.
	In front of him, two people are talking to each other.	◎ 공통점이 있는 사람들을 함께 묘사해 주었습니다.
	On the left side of the picture, a man is sitting at a desk.	⊗ 인물이 집중하고 있는 동작을 설명하는 것이 고득점에 유리합니다. (책상에 앉아 있다 < 모니터를 쳐다보다)
	In the background of the picture, two people are walking down (the stairs).	⊗ 답변이 도중에 끊겼습니다.

제이크쌤 총평
▸ 큰 문법 실수는 없지만 말이 빨라서 몇몇 단어의 발음이 부정확합니다.
▸ 사진과 연관성이 낮은 표현들이 자주 사용되었습니다.

장소	I think this picture was taken in an office.	◎ 정확한 장소 명사를 사용했습니다.
주요 대상	In the middle of the picture, two people are coming down the stairs while talking to each other.	◎ 접속사 'while'을 활용해 두 동작을 한 문장으로 설명했습니다.
	On the right side of the picture, a man is standing by a bicycle.	◎ 인물의 동작을 정확히 설명했습니다.
	In front of him, two people are talking to each other too.	◎ 부사 'too'를 사용해서 이미 사용한 표현을 자연스럽게 재언급했습니다.
	On the left side of the picture, another man wearing a white shirt is looking at a monitor.	◎ 대명사 'another'를 사용해 'a man'의 반복적 사용을 피했습니다. 또, 분사 'wearing'을 사용해 동작과 인상착의를 한 문장으로 설명했습니다.

Questions 3-4

제이크쌤 총평

▸ 발음이 명확하고, 일정한 리듬으로 답변했습니다.

▸ 인물의 동작을 정확히 묘사했습니다.

▸ 주요 대상 묘사를 위해 접속사와 부사 같은 다양한 표현을 사용했습니다.

장소 설명

▷ 장소 설명　　인원 수 설명　　주요 대상 설명　　의견 말하기

장소 명사와 전치사를 이용해서 사진의 장소를 말해주세요.

I think this picture was taken + 전치사 + 장소.

I think this picture was taken in an office.
이 사진은 사무실에서 찍힌 것 같습니다.

연습 문제　　　　　　　　　　　　　　　　　　　　　🔊 MP3　2_1

빈칸을 채워 큰 소리로 답변해보세요.

1　I think this picture was taken ＿＿＿＿＿＿＿＿＿. 이 사진은 거리에서 찍힌 것 같습니다.

2　I think this picture was taken ＿＿＿＿＿＿＿＿＿. 이 사진은 도서관에서 찍힌 것 같습니다.

📖 정답 및 해설 p.8

고득점 포인트

장소 관련 전치사구 TOP 8

자주 출제되는 장소 전치사구를 암기해두세요. 전치사는 틀려도 점수에 큰 영향을 주지 않으니 자신 있게 말하세요.

in an office 사무실에서	in a café 카페에서	in a lobby 로비에서
in a classroom 교실에서	in a living room 거실에서	in a park 공원에서
on the street 거리에서	at a waterfront 물가에서	

강세에 유의하기

문장의 강세에 유의하세요. 특히 장소 명사를 크게 발음해 주시고, 문장을 일정한 리듬으로 말하는 연습을 해주세요.

I think this picture was taken in an office. (붉은색: 강세)

인원 수 설명

장소 설명   ▷ **인원 수 설명**   주요 대상 설명   의견 말하기

사진에 보이는 인물의 수를 말해주세요. 답변 시간이 부족하다면 생략 가능합니다.

Questions 3-4

There are + 인원 수 + in this picture.

There are three people in this picture.
사진에는 세 명의 사람들이 있습니다.

연습 문제

🔊 MP3   2_2

빈칸을 채워 큰 소리로 답변해보세요.

1 There are _____ in this picture.   사진에는 네 명의 사람들이 있습니다.

2 There are _____ in this picture.   사진에는 많은 사람들이 있습니다.

📖 정답 및 해설 p.8

주요 대상 설명

사진 내 비중이 큰 인물이나 사물을 설명합니다.

인물의 동작 설명

인물의 위치를 설명한 뒤 현재 진행형 시제를 이용해서 동작을 설명해주세요.

위치 + 인물의 동작(현재 진행형).

In the middle of the picture, a man is looking at a monitor.
사진의 가운데에, 한 남자가 모니터를 쳐다보고 있습니다.

Next to him, another man is pointing at the monitor.
그의 옆에, 또다른 남자가 모니터를 가리키고 있습니다.

> **TIP** 처음 언급하는 인물의 묘사에 대명사(he, she)를 쓰지 않습니다.

인물의 인상착의 설명

비중이 큰 인물에 한해 인상착의를 추가로 설명해주세요.

주어 is wearing + 복장 / 주어 has + 머리 스타일.

He is wearing a grey shirt.
그는 회색 셔츠를 입고 있습니다.

He has short black hair.
그는 짧은 검정 머리입니다.

자주 출제되는 인상착의 어휘

복장 관련 표현

shirt 셔츠	T-shirt 티셔츠	suit 정장
jacket 재킷	jeans 청바지	one-piece dress 원피스
uniform 유니폼	business casual 비즈니스 캐주얼	summer clothes 여름옷

머리 스타일 관련 표현

long hair 긴 머리	black hair 검정 머리	long black hair 긴 검정머리

사물 설명

사물의 위치를 설명한 뒤 아래의 표현 중 하나를 이용해서 문장을 완성하세요.

위치 + there is + 명사. / 위치 + I can see + 명사.

On the left side of the picture, there is a desk lamp.
사진의 왼쪽에, 스탠드가 있습니다.

Behind the woman, I can see a bulletin board.
그녀의 뒤에, 게시판이 보입니다.

위치 설명 표현

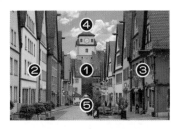

① in the middle of the picture,   사진의 가운데에,
② on the left side of the picture,   사진의 왼쪽에,
③ on the right side of the picture,   사진의 오른쪽에,
④ at the top of the picture,   사진의 위쪽에,
⑤ at the bottom of the picture,   사진의 아래쪽에,

① in the foreground of the
  picture,   사진의 앞쪽에,
② in the background of the
  picture,   사진의 배경에,

① next to him,   그의 옆에,
② in front of her,   그녀의 앞에,
③ behind him,   그의 뒤에,

Describe a picture   55

🔊 MP3 2_3

빈칸을 채워 큰 소리로 답변해보세요.

1 _____ , many people are _____ .

사진의 가운데에, 많은 사람들이 스케이트를 타고 있습니다.

2 _____ , there are _____ .

사진의 위쪽에, 많은 국기가 있습니다.

정답 및 해설 p.8

고득점 포인트

주요 대상 묘사 시 유의할 점

• 사물과 인물이 사진에서 차지하는 비중이 비슷하다면 사물보다 인물을 우선적으로 묘사해주세요.

• 사물 명사에 색상과 크기를 설명하는 형용사를 함께 사용하면 고득점에 도움이 됩니다.

🔊 a large post box 커다란 우체통
　　yellow buildings 노란 빌딩

의견 말하기

답변의 중간이나 마지막에 사진에 대한 개인적인 생각을 말합니다. 평소에 답변 시간이 부족한 편이라면 생략해도 됩니다.

It seems like + 주어 + 동사.

It seems like they are discussing something together.
그들이 뭔가를 논의중인 것 같습니다.

연습 문제

🔊 MP3 2_4

빈칸을 채워 큰 소리로 답변해보세요.

1 It seems like _____.
   날씨가 야외 활동에 좋아 보입니다.

2 It seems like _____.
   그들은 직장 동료인 것 같습니다.

3 It seems like _____.
   그들은 편안한 분위기에서 일을 하는 것 같습니다.

4 It seems like _____.
   그들은 회의에 집중하고 있는 것 같습니다.

정답 및 해설 p.8

Questions 3-4

템플릿 1 인물 중심 (2인)

두 명의 인물이 등장하며, 각 인물의 행동을 정확히 묘사하는 것이 중요한 유형입니다.

🔊 MP3   2_5

장소	사진의 장소를 설명합니다. I think this picture was taken at a train station platform. 이 사진은 기차역 승강장에서 찍힌 것 같습니다.
인원 수	인원 수를 설명합니다. There are two people in this picture. 사진에는 두 명의 사람이 있습니다.
인물 1	인물의 동작과 인상착의를 한 문장씩 설명합니다. On the left side of the picture, a woman is using a smartphone. She has blonde hair. 사진의 왼쪽에, 한 여자가 스마트폰을 사용하고 있습니다. 그녀는 금발입니다.
인물 2	다른 인물의 동작과 인상착의를 한 문장씩 설명합니다. On the right side of the picture, a man is reading some documents. He is wearing a navy suit. 사진의 오른쪽에, 한 남자가 서류를 읽고 있습니다. 그는 남색 정장을 입고 있습니다.
추가 문장	비중이 큰 사물 혹은 사진에 대한 의견을 말해주세요. Next to him, there is a suitcase. 그의 옆에는 여행 가방이 있습니다.

템플릿 2 인물 중심 (3인 이상)

세명에서 최대 여섯 명의 인물이 등장하는 유형으로, 비중이 큰 순서대로 인물을 묘사하세요.

🔊 MP3   2_6

장소	사진의 장소를 설명합니다. **I think this picture was taken in a meeting room.** 이 사진은 회의실에서 찍힌 것 같습니다.
인원 수	인원 수를 설명합니다. **There are three people in this picture.** 사진에는 세 사람이 있습니다.
인물 1	인물의 동작을 설명합니다. 비중이 큰 인물에 한해 인상착의를 설명합니다. **On the left side of the picture, a man is reading something.** **He is wearing a black checkered shirt.** 사진의 왼쪽에, 한 남자가 뭔가를 읽고 있습니다. 그는 검은색 체크무늬 셔츠를 입고 있습니다.
인물 2	추가 인물의 동작을 설명합니다. **In the middle of the picture, another man is typing on a laptop computer.** 사진의 가운데에, 또다른 남자가 노트북에 타이핑을 하고 있습니다.
인물 3	추가 인물의 동작을 설명합니다. **On the right side of the picture, a woman is writing something on the paper.** 사진의 오른쪽에, 한 여자가 종이에 뭔가를 쓰고 있습니다.

TIP
- 공통점이 있는 인물들은 함께 묘사해주세요.
- 사진 내 모든 인물을 언급할 필요는 없습니다.
- 인원수 문장과 인물의 인상착의 문장은 생략 가능합니다.
- 혹시 답변 시간이 남으면 네번째 인물, 비중이 큰 사물 혹은 사진에 대한 의견을 말해주세요.

사진에 한 명의 인물이 등장하며, 인물의 특징을 자세히 묘사하는 것이 중요한 유형입니다.

🔊 MP3 | 2_7

장소	사진의 장소를 설명합니다. I think this picture was taken in a study. 이 사진은 서재에서 찍힌 것 같습니다.
인물 (동작 2개 + 인상착의 1개) **혹은** (동작 1개 + 인상착의 2개)	인물의 특징을 약 세 문장으로 설명합니다. On the right side of the picture, a woman is sitting on the floor. She is taking notes in a notebook. And she is wearing a grey sweater. 사진의 오른쪽에, 한 여자가 바닥에 앉아 있습니다. 그녀는 노트에 필기를 하고 있습니다. 그리고 그녀는 회색 스웨터를 입고 있습니다.
사물 1	비중이 큰 사물을 설명합니다. Behind her, there is a yellow sofa and a large bookshelf. 그녀의 뒤에, 노란 소파와 커다란 책장이 있습니다.
사물 2	사물을 추가로 설명합니다. On the left side of the picture, I can see a laptop and a white mug on the floor. 사진의 왼쪽에, 노트북 컴퓨터와 흰색 머그잔이 바닥에 놓여 있습니다.

TIP
- 인원 수 문장은 생략합니다.
- 인물의 동작이나 인상착의를 두 가지 설명하되, 묘사 포인트를 찾기 힘들면 다음 문장으로 넘어가세요.
- 답변 시간이 남으면 사물을 추가로 설명하거나 사진에 대한 의견을 말해주세요.

템플릿 4 **다수의 인물 및 사물**

사진에 다수의 인물 및 사물이 등장하며, 묘사할 대상의 신속한 선정이 중요한 유형입니다.

🔊MP3 2_8

장소	사진의 장소를 설명합니다. I think this picture was taken on the street. 이 사진은 거리에서 찍힌 것 같습니다.
인원 수	인원 수를 설명합니다. There are many people in this picture. 사진에는 많은 사람들이 있습니다.
대상 1	사진 내 비중이 큰 대상을 설명합니다. On the right side of the picture, two people are riding horses. I think they are police officers. 사진의 오른쪽에, 두 사람이 말을 타고 있습니다. 그들은 경찰관인 것 같습니다.
대상 2	추가 대상을 설명합니다. On the left side of the picture, three women are standing on the sidewalk. 사진의 왼쪽에, 세 명의 여자가 인도에 서 있습니다.
대상 3	추가 대상을 설명합니다. In the middle of the picture, a small car is waiting for the green light. 사진의 가운데에, 작은 차 한 대가 신호를 기다리고 있습니다.
대상 4	추가 대상을 설명합니다. In the background of the picture, I can see many buildings. 사진의 배경에, 많은 건물들이 보입니다.

TIP
• 준비시간 동안 대상의 묘사 순서를 결정해두세요.
• 이번 유형에서는 비중이 큰 사물을 인물보다 먼저 묘사할 수 있습니다.
• 공통점이 있는 인물들은 함께 묘사해주세요.
• 시간이 부족하면 인원 수 문장 혹은 비중이 낮은 대상의 묘사를 생략해주세요.

앞서 학습한 템플릿을 이용해서 전체 답변을 만들어보세요. 스스로 답변을 만들어 본 뒤, 아래의 답변 가이드를
활용하여 다시 한번 묘사해보세요.

템플릿1 인물 중심 (2인)

🔊MP3 2_9

장소	I think this picture was taken 주차장에서.
인원 수	There are 두 사람 in this picture.
인물 1	사진의 왼쪽에, a man is 흰색 승합차에서 상자를 꺼내다. He has 짧은 갈색 머리.
인물 2	사진의 오른쪽에, a woman is 상자를 쌓다. She is wearing 분홍색 상의와 검정 바지.
추가 문장	사진의 배경에, I can see 빨간색 건물.

🔊정답 및 해설 p.9

템플릿 2 인물 중심 (3인 이상)

🔊 MP3 2_10

장소	I think this picture was taken 사무실에서.
인원 수	There are 네 사람 in this picture.
인물 1	사진의 가운데에, **a woman is** 노트북을 사용하다. **She is wearing** 줄무늬 셔츠.
인물 2	그녀의 뒤에, **two people are** 서로 대화를 하다.
인물 3	사진의 오른쪽에, **a man is** 모니터를 쳐다보다.

TIP 시간이 남으면 왼쪽의 화이트보드도 설명해주세요.

📖 정답 및 해설 p.10

🔊MP3 2_11

장소	I think this picture was taken 공장에서.
인물	사진의 왼쪽에, **a woman is** 바코드를 스캔하다. **Also**, she is 태블릿 PC를 쳐다보다. **She is wearing** 안전모와 안전 조끼.
사물 1	그녀의 앞에, 몇 개의 상자가 쌓여 있다.
사물 2	사진의 배경에, **there are** 선반 위의 많은 컨테이너들.
추가 문장	**It seems like** 그녀가 재고를 확인하다.

📖정답 및 해설 p.11

템플릿 4 다수의 인물 및 사물

◁))MP3 2_12

장소	I think this picture was taken 캠핑장에서.
인원 수	There are 두 사람 in this picture.
대상 1	사진의 왼쪽에, **there is** 회색 캠핑카 한 대.
대상 2	사진의 오른쪽에, **two people are** 캠핑 의자에 앉아있다.
대상 3	사진의 가운데에, **I can see** 나무 한 그루와 캠핑 테이블.
대상 4	사진의 배경에, **there is** 커다란 호수.

정답 및 해설 p.12

도전! AL+

AL등급 이상의 고득점 획득에 도움을 주는 고난도 표현을 학습해보겠습니다. 해당 표현들의 사용이 고득점 달성에 필수는 아닙니다.

---

❶ 동작과 의상 함께 설명하기

In the middle of the picture, a woman wearing a striped shirt is using a laptop computer.

사진의 가운데에, 줄무늬 셔츠를 입고 있는 한 여자가 노트북 컴퓨터를 사용 중입니다.

❷ 두 가지 동작을 함께 설명하기

Behind her, two people are talking to each other while looking at a monitor.

그녀의 뒤에, 두 사람이 모니터를 보며 이야기를 나누고 있습니다.

❸ 수동태를 사용해서 사물 설명하기

On the left side of the picture, a graph is drawn on the whiteboard.

사진의 왼쪽에, 화이트보드에 그래프가 그려져 있습니다.

동작과 의상 함께 설명하기

동작과 의상을 함께 설명함으로써 수준 높은 문장을 만들 수 있을 뿐 아니라 답변 시간을 절약할 수 있습니다.

인물 + wearing 의상 + 인물의 동작(현재 진행형).

A man **wearing** a blue apron is cooking some meat.
파란 앞치마를 두른 남자가 고기를 굽고 있습니다.

TIP 주어가 길기 때문에 동사 is 앞에서 끊어 읽어주세요.

연습 문제

🔊 MP3 2_13

빈칸을 채워 큰 소리로 답변해보세요.

1 A man wearing ＿＿＿＿＿＿＿＿

＿＿＿＿＿＿＿＿＿＿＿＿＿.

남색 재킷을 입은 한 남자가 휴대폰을 사용
중입니다.

2 A woman wearing ＿＿＿＿＿＿＿＿

＿＿＿＿＿＿＿＿＿＿＿＿＿.

녹색 가디건을 입은 한 여자가 아이들을 가르치고
있습니다.

3 A woman wearing ＿＿＿＿＿＿＿

＿＿＿＿＿＿＿＿＿＿＿＿＿.

녹색 앞치마를 두른 한 여자가 주문을 받고 있습니다.

4 A man wearing ＿＿＿＿＿＿＿＿

＿＿＿＿＿＿＿＿＿＿＿＿＿.

흰 셔츠를 입은 한 남자가 자전거를 타고 있습니다.

📖 정답 및 해설 p.13

두 가지 동작을 함께 설명하기

두가지 동작을 함께 설명함으로써 인물의 동작을 더 자세히 설명할 수 있습니다.

인물 + 인물의 동작(현재 진행형) + while 동사ing.

A woman is writing something **while** talking on the phone.
한 여자가 통화를 하면서 뭔가를 적고 있습니다.

연습 문제

🔊 MP3 2_14

빈칸을 채워 문장을 완성하세요.

1 A man is _____
   while _____.
   한 남자가 노트북 화면을 보면서 무언가를
   마시고 있습니다.

2 A man is _____
   while _____.
   한 남자가 계단을 올라가면서 통화를 하고
   있습니다.

3 Two women are _____
   while _____.
   두 여자가 대화를 하면서 거리를 걸어가고
   있습니다.

4 A man is _____
   while _____.
   한 남자가 통화를 하면서 서류를 보고 있습니다.

📖 정답 및 해설 p.13

수동태를 사용해서 사물 설명하기

수동태(be동사 + 과거분사)를 이용해서 사물의 상태를 더 자세히 묘사할 수 있습니다.

사물 + is/are + 과거분사.

In the background of the picture,
many kinds of groceries **are** displayed.
사진의 배경에, 많은 종류의 식료품이 진열되어 있습니다.

연습 문제

🔊 MP3 2_15

빈칸을 채워 문장을 완성하세요.

1 Many books _____
on the bookshelves.
많은 책이 책장에 꽂혀 있습니다.

2 Many cars _____
on the side of road.
많은 차들이 길가에 주차되어 있습니다.

3 A yacht _____.
요트가 정박되어 있습니다.

4 Many boxes _____.
많은 상자들이 쌓여 있습니다.

📖 정답 및 해설 p.13

고득점 포인트

끊어 읽기에 유의하기
동작과 의상을 함께 설명하거나 두 가지 동작을 함께 설명할 경우 끊어 읽기에 유의하세요.
A man **wearing** a blue apron / is cooking some meat. (긴 주어 뒤)
A woman **is** writing something / **while** talking on the phone. (접속사 앞)

실전 연습

45초의 준비 시간과 30초의 답변 시간을 지켜 실전처럼 사진을 묘사해보세요.

1 🔊 MP3 2_16   준비 시간: 45초 / 답변 시간: 30초

장소	
인원 수	
인물 1	
인물 2	
인물 3	

📖 정답 및 해설 p.14

2 🔊 MP3 2_17   준비 시간: 45초 / 답변 시간: 30초

장소	
인원 수	
인물 1	
인물 2	
인물 3	
추가 문장(생략 가능)	

📖 정답 및 해설 p.15

3 MP3 2_18 준비 시간: 45초 / 답변 시간: 30초

TOEIC Speaking	Question 3 of 11

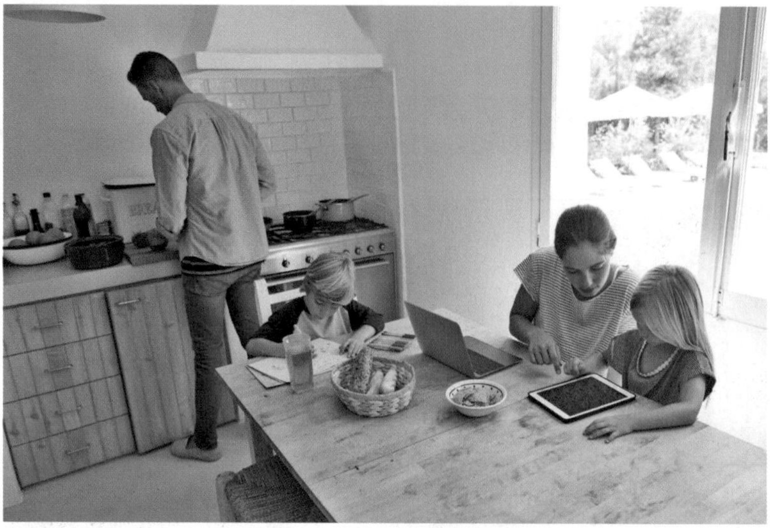

장소

인원 수

인물 1

인물 2

인물 3

추가 문장

정답 및 해설 p.16

TOEIC Speaking	Question 4 of 11

Questions 3-4

장소

_____

인원 수

_____

대상 1

_____

대상 2

_____

대상 3

_____

대상 4(생략 가능)

_____

📖 정답 및 해설 p.17

TOEIC Speaking	Question 3 of 11

장소	_____
인물	_____
사물 1	_____
사물 2	_____
추가 문장	_____

📖 정답 및 해설) p.18

TOEIC Speaking　　　　**Question 4 of 11**

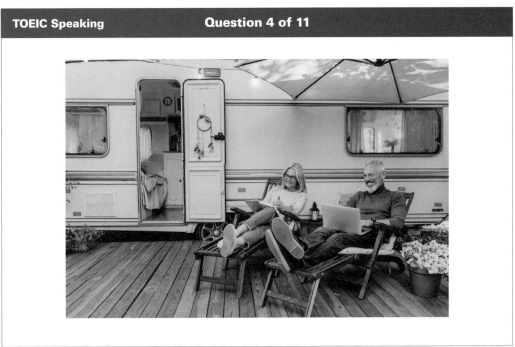

장소	
인원 수	
인물 1	
인물 2	
추가 문장	

📖 정답 및 해설 p.19

Q 장소가 어디인지 모르겠어요.

A 장소 어휘가 생각나지 않을 때는 부사 indoors(실내), outdoors(야외)를 사용하세요. 부사 앞에는 전치사를 붙이지 않습니다.

ⓧ I think this picture was taken at outdoors.

ⓞ I think this picture was taken outdoors.
이 사진은 야외에서 찍힌 것 같습니다.

Q 답변 시간이 부족해요.

A 평소에 답변 시간이 부족한 학습자들은 주로 다음과 같은 문제점을 가지고 있습니다. 아래의 문제점과 솔루션을 참고하세요.

- 너무 많은 대상을 묘사하려 함
  ↳ 비중 있는 대상 중 세 가지만 말해도 고득점을 받을 수 있습니다.

- 한 대상을 너무 자세히 묘사하려 함
  ↳ 한 대상의 묘사가 최대 두 문장을 넘지 않게 해주세요.

- 말하는 속도가 다소 느림
  ↳ 필수 표현을 확실히 암기한 뒤, 시간을 지켜 답변 연습을 해주세요.

Q 인물의 동작 묘사가 어려워요.

A 묘사 난이도가 높은 동작은 쉽고 간단한 표현으로 바꾸어서 대답해주세요.

He is hammering a nail into the wall.
그는 벽에 못을 박고 있습니다.

↓

He is using a hammer.
그는 망치를 사용하고 있습니다.

Q 모서리 부근에 위치한 대상은 어떻게 설명하나요?

A 아래의 표현을 사용하여 위치를 설명할 수 있습니다.

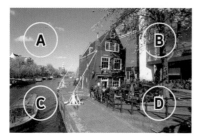

Ⓐ At the top left corner, 사진의 왼쪽 상단에,

Ⓑ At the top right corner, 사진의 오른쪽 상단에,

Ⓒ At the bottom left corner, 사진의 왼쪽 하단에,

Ⓓ At the bottom right 사진의 오른쪽 하단에,
corner,

㉠ At the bottom left corner, there is a boat.
사진의 왼쪽 하단에, 보트가 있습니다.

Q 의견 말하기 문장을 만들기 어려워요.

A 답변 중간이나 마지막에 개인적인 생각을 말하는 의견 문장은 중요도가 높지 않습니다. 만약 답변 시간이 남았다면 아래의 문장 중 하나를 이용해서 답변을 마무리하세요.

① It seems like they are concentrating on 명사.
It seems like they are concentrating on the meeting.
그들이 회의에 집중하는 것 같습니다.

② It seems like they are taking a break at/in 장소.
It seems like they are taking a break in the lounge.
그들이 휴게실에서 휴식을 취하는 것 같습니다.

③ It seems like 장소 is (quiet/noisy).
It seems like the lobby is very quiet.
로비가 매우 조용한 것 같습니다.

④ It seems like they are 관계.
It seems like they are coworkers.
그들은 직장동료인 것 같습니다.

⑤ It seems like the weather is good for 활동.
It seems like the weather is good for outdoor activities.
날씨가 야외활동을 하기 좋은 것 같습니다.

중요 표현 정리

사무실 (office) 🥇출제 순위1위

He is giving a presentation.	발표를 하는 중이다
He is typing on a keyboard.	타자를 치는 중이다
She is making a copy.	복사를 하는 중이다
She is going up(down) the stairs.	계단을 올라가는(내려가는) 중이다
He is writing something on a document.	서류에 뭔가를 작성하는 중이다
He is reading a document.	서류를 읽는 중이다
They are talking on the phone.	통화를 하는 중이다
They are having a meeting.	회의를 하는 중이다

매장 (store) 🥇출제 순위2위

She is putting an apple into a bag.	사과 한 개를 봉투에 넣고 있다
She is handing over a credit card.	신용카드를 건네고 있다
He is carrying a box.	상자를 나르는 중이다
He is pushing a shopping cart.	쇼핑카트를 밀고 있다
He is standing at a checkout counter.	계산대에 서있다
She is receiving an item.	물건을 받고 있다
They are shopping around.	쇼핑을 하며 돌아다니는 중이다
They are waiting in line.	줄을 서서 기다리는 중이다

거리 (street) 🥇출제 순위3위

She is taking a picture.	사진을 찍고 있다
She is waiting for a green light.	녹색 신호를 기다리는 중이다
She is pushing a baby stroller.	유모차를 밀고 있다
He is riding a scooter.	스쿠터를 타고 있다
He is looking for something in a bag.	가방에서 뭔가를 찾는 중이다
They are playing musical instruments.	악기를 연주하는 중이다
They are crossing a road.	길을 건너는 중이다
They are walking on the sidewalk.	인도를 걸어가는 중이다

레스토랑 & 카페 (restaurant & café)

She is reading a menu.	메뉴를 읽는 중이다
She is taking(placing) an order.	주문을 받는 중이다(하는 중이다)
She is holding a mug.	머그잔을 들고 있다
He is showing a menu to a man.	남자에게 메뉴를 보여주다
She is pouring water.	물을 따르고 있다
She is serving food.	음식을 서빙하고 있다
They are talking to each other.	서로 이야기를 하는 중이다
They are sitting under a parasol.	파라솔 아래에 앉아있다

공원 (park)

They are walking a dog.　　　　　　　　개를 산책시키는 중이다

He is riding a bicycle.　　　　　　　　자전거를 타는 중이다

They are walking along the road.　　　길을 따라 걷는 중이다

They are sitting on a bench.　　　　　벤치에 앉아 있다

They are jogging.　　　　　　　　　　조깅을 하는 중이다

They are taking a walk.　　　　　　　산책을 하는 중이다

They are having a picnic.　　　　　　소풍을 즐기는 중이다

They are performing on the street.　　거리에서 공연을 하는 중이다

교실 (classroom)

He is teaching a class.　　　　　　　수업을 하는 중이다

He is pointing at a screen.　　　　　화면을 가리키고 있다

She is taking notes.　　　　　　　　필기를 하는 중이다

She is explaining something.　　　　뭔가를 설명하는 중이다

They are holding up their hands.　　손을 들고 있다

They are taking a class.　　　　　　수업을 듣는 중이다

They are looking at a whiteboard.　화이트보드를 쳐다보고 있다

They are sitting at a desk.　　　　　책상에 앉아있다

도서관 (library)

She is scanning a book.　　　　　　　책의 바코드를 찍고 있다

She is leaning against a bookshelf.　책장에 기대어 있다

She is arranging books.　　　　　　　책을 정리하는 중이다

He is reaching for a book.　　　　　책을 향해 손을 뻗고 있다

He is taking a book from a bookshelf.　책장에서 책을 꺼내고 있다

They are checking out some books.　책을 대출하는 중이다

They are reading books.　　　　　　　책을 읽는 중이다

Many books are arranged in the bookshelves.　많은 책이 책꽂이에 놓여 있다

해안가 & 해변가 (waterfront & beach)

He is paddling the boat.　　　　　　배의 노를 젓는 중이다

They are fishing.　　　　　　　　　　낚시를 하는 중이다

They are swimming in the water.　　물에서 수영을 하는 중이다

They are riding a boat.　　　　　　　보트를 타는 중이다

They are walking along the shore.　해변을 따라서 걷는 중이다

They are sunbathing on the beach.　해변에서 일광욕을 하는 중이다

They are lying under a parasol.　　파라솔 아래에 누워있다

Many yachts are docked.　　　　　　많은 요트가 정박되어 있다

Questions
5-7

Respond to questions
듣고 질문에 답하기

기초 다지기

문제 구성

문제 번호	준비 시간	답변 시간	배점
3문제 (5, 6, 7번)	문항별 3초	15/15/30초	각 3점

시험 진행 순서

TOEIC Speaking

Questions 5-7: Respond to questions

Directions : In this part of the test, you will answer three questions. You will have three seconds to prepare after you hear each question. You will have 15 seconds to respond to Questions 5 and 6 and 30 seconds to respond to Question 7.

① 안내문

문제 진행 방식을 설명하는 안내문을 화면에 보여준 뒤 이를 음성으로 들려줍니다.

TOEIC Speaking

Imagine that an Australian marketing firm is doing research in your country. You have agreed to participate in a telephone interview about your hometown.

② 상황 설명

안내문이 사라지면 화면 상단에 현재의 상황을 설명하는 내용이 등장합니다.

TOEIC Speaking **Question 5 of 11**

Imagine that an Australian marketing firm is doing research in your country. You have agreed to participate in a telephone interview about your hometown.

Where is your hometown and do you still live there?

PREPARATION TIME	RESPONSE TIME
00:00:03	00:00:15

③ 문제 및 답변 화면

- 5번 문제를 읽어준 뒤, 3초의 준비 시간과 15초의 답변 시간이 주어집니다.
- 6번 문제를 읽어준 뒤, 3초의 준비 시간과 15초의 답변 시간이 주어집니다.
- 7번 문제를 읽어준 뒤, 3초의 준비 시간과 30초의 답변 시간이 주어집니다.

TIP 문제는 화면에 표기됩니다.

출제 경향

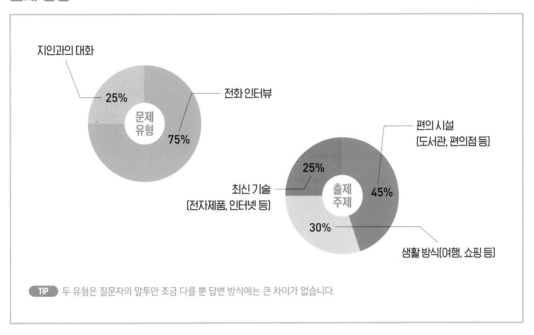

TIP 두 유형은 질문자의 말투만 조금 다를 뿐 답변 방식에는 큰 차이가 없습니다.

출제 유형

시험에 자주 등장하는 주제를 출제 빈도순으로 정리했습니다.

주제	문제	출제빈도
취미	요리, 음악, 영화 감상, 여행, 독서 등	★★★★★
장소	도서관, 학교, 공원, 동물원 등	★★★
쇼핑	슈퍼마켓, 온라인 쇼핑, 백화점, 시장 등	★★★
음식	패스트푸드, 아침 식사, 외식하기, 간식 등	★★
야외활동	스포츠, 산책, 피크닉, 자원봉사 등	★★
교통수단	지하철, 비행기, 기차, 택시 등	★★
전자제품	스마트폰, 컴퓨터, 가전제품, 전자책 등	★
인터넷	SNS, 화상 통화, 이메일, 인터넷 서비스 등	★

준비 시간 활용법

5-7번 문제의 준비 시간은 단 3초입니다. 따라서 문항별로 준비 시간 활용 전략을 세워 두는 것이 중요합니다.

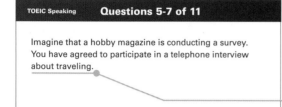

① 주제 확인

상황 설명문이 화면에 등장하고, 이를 음성으로 들려줍니다. 설명문 후반부에 위치한 about + 주제어를 미리 확인합니다.

> 여행 관련 주제

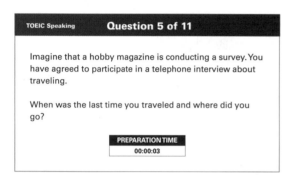

② 5번 문제

5번 문제에서는 주로 두 개의 질문을 함께 묻는 유형이 출제됩니다. 문제를 들려줄 때 의문사와 시제를 잘 확인해 두시고, 준비 시간 동안 문제를 다시 한번 읽어보세요.

TOEIC Speaking   **Question 6 of 11**

Imagine that a hobby magazine is conducting a survey. You have agreed to participate in a telephone interview about traveling.

Do you prefer to travel abroad or go to a nearby place? Why?

PREPARATION TIME
00:00:03

③ 6번 문제

6번 문제에서는 이유를 묻는 문제가 자주 출제됩니다. 준비 시간 동안 문제를 다시 읽거나 이유 아이디어를 생각해 두세요.

TOEIC Speaking   **Question 7 of 11**

Imagine that a hobby magazine is conducting a survey. You have agreed to participate in a telephone interview about traveling.

Do you think it is important to learn the language when traveling to another country? Why?

PREPARATION TIME
00:00:03

④ 7번 문제

7번 문제에서는 5,6번 문제에 비해 더 복잡한 형태의 질문이 등장합니다. 준비 시간 동안 문제를 다시 읽거나 답변의 첫 문장을 어떻게 시작할지 생각해두세요.

목표 레벨별 학습 전략

130-150점 목표

· 자주 등장하는 의문문의 종류와 의문문별 답변 방식을 학습해주세요.

· 주어 선정, 동사의 활용 등 기본적인 문법에 유의해서 답변해주세요.

· 평소에 연습한 익숙한 표현을 이용해서 답변을 만들어주세요.

· 답변 시간을 지켜서 연습하며 순발력을 기르는 것이 중요합니다.

· 답변을 녹음해서 들어보며 내가 일정한 리듬으로 말하는지, 목소리가 점점 작아지지 않는지 확인하세요.

160점 이상 목표

· 130-150점 목표 전략에 따라 학습해주세요.

· 답변으로 만든 문장의 내용이 질문에 대한 답변으로 적절했는지 점검해보세요.

· 전치사구, 고유명사, 부사 등을 이용해서 문장을 추가로 보강하는 연습을 해주세요.

(고득점 포인트)

기본적인 문법에 유의하기

5-7번 문제에서 고득점을 받기 위해서는 질문의 의도에 부합하는 문장을 정확하게 말하는 것이 중요합니다.

더 많이 말하기 위해 서두르다 기본적인 문법 실수를 저지르는 분들이 많습니다. 5-7번 문제에서는 답변의 양보다 문법적 완성도가 더 중요하다는 것을 잊지 마세요.

점수별 답변 분석
2점 답변 피드백

Q5	How often do you read books and what kind of books do you usually read?
A5	I read books every day and I usually read sports books. ◎ 질문의 의문사와 시제를 잘 확인해서 대답했습니다. ✕ 명확하지 않은 의미의 어휘가 사용되었습니다. (sports books)
Q6	Where do you usually get information about new books? Why?
A6	I get information about new books on the Internet. There are many information on the Internet. ◎ 질문에 정확히 답변하였으며, 추가 이유 문장을 통해 아이디어를 보강하고 있습니다. ✕ 불가산명사인 information 앞에 잘못된 동사와 수량 형용사를 사용했습니다. (are, many)
Q7	Do you prefer to read books in a library or at home? Why?
A7	I prefer to read books in a library. First, there are many books in the library. Second, I can read books quietly. ◎ 입장을 뒷받침하기 위한 두 가지 이유를 제시했습니다. ✕ 두 번째 아이디어의 의미가 명확하지 않습니다. (내가 조용히 한 채로 책을 읽을 수 있다는 의미가 될 수 있음)

Q5 얼마나 자주 책을 읽으며, 주로 어떤 종류의 책을 읽나요?
Q6 새 책에 대한 정보를 주로 어디에서 얻나요? 그 이유는 무엇인가요?
Q7 당신은 집과 도서관 중 어디에서 책 읽는 것을 선호하나요? 그 이유는 무엇인가요?

> **제이크쌤 총평**
> ‣ 질문의 의도를 잘 이해하고 큰 문법적 실수 없이 답변했습니다.
> ‣ 문법과 어휘의 사용이 자연스럽지 않은 부분이 있습니다.

만점 답변 피드백

Q5	How often do you watch movies and what kind of movies do you usually watch?
A5	I watch movies about once a month and I usually watch superhero movies. I like movies from Marvel Studio. ◎ 질문의 의문사와 시제를 잘 확인해서 대답했습니다. ◎ 두 질문에 대한 대답 외에 추가 문장을 만들었지만 이것이 필수는 아닙니다.
Q6	Where do you usually get information about new movies? Why?
A6	I get information about new movies on YouTube. It's because there are many movie reviewers on YouTube and they provide very useful information. ◎ 고유명사를 사용해서 구체적인 답변을 만들었습니다. ◎ 올바른 문법을 사용했으며, 추가 문장을 통해 자신의 답변을 보강했습니다.
Q7	Do you prefer to watch movies in a movie theater or at home? Why?
A7	I prefer to watch movies in a movie theater. First, I can watch movies in a comfortable atmosphere. Second, it is easy to concentrate on movies because of the large screen and sound system. Therefore, I prefer to watch movies in a movie theater. ◎ 입장을 뒷받침하기 위한 두 가지 이유를 제시했습니다. ✕ 첫 번째 이유인 '편안한 분위기에서 영화를 볼 수 있다'는 다른 선택지인 'at home'에 더 어울립니다.

Questions 5-7

Q5 얼마나 자주 영화를 보며, 주로 어떤 종류의 영화를 보나요?
Q6 새로운 영화에 대한 정보를 주로 어디에서 얻나요? 그 이유는 무엇인가요?
Q7 당신은 집과 영화관 중 어디에서 영화를 보는 것을 선호하나요? 그 이유는 무엇인가요?

제이크쌤 총평
- ▸ 질문의 의도를 잘 이해했으며, 자신감있는 목소리로 답변했습니다.
- ▸ 문법과 어휘의 사용에 문제가 없습니다.
- ▸ 7번 문제의 답변 아이디어가 선택한 입장과 어울리지는 않지만 이것이 만점 획득에 큰 영향을 주지는 않습니다.

본격적인 템플릿 학습에 앞서, 5-7번 문제의 기초 이론과 문제별 대표 유형을 학습해보겠습니다.

Question 5

MP3 3_1

5번 문제는 두 개의 의문사를 사용하여 두 가지 항목을 묻는 유형이 자주 출제됩니다. 문제 중 주어로 사용할 부분을 찾아 문장을 시작한 뒤, 뒤이어 의문사에 대해 답변해주세요.

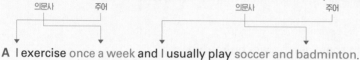

Q How often **do you exercise, and** what kind of exercise **do you usually do**?

의문사   주어   의문사   주어

A **I exercise** once a week **and I usually play** soccer and badminton.

Q 얼마나 자주 운동을 하며, 주로 무슨 운동을 하나요?
A 저는 일주일에 한 번 운동을 하며, 주로 축구와 배드민턴을 합니다.

Question 6

6번 문제에서는 하나의 질문과 답변에 대한 이유를 추가로 묻는 유형이 자주 출제됩니다.
제시된 질문에 답변한 뒤, 이유를 추가로 말해주세요.

Q Where is your favorite place to exercise? Why?

A My favorite place to exercise is a fitness center near my house.
It's because there are not many people in the evening. 이유 문장

Q 운동을 하기에 가장 좋아하는 장소는 어디인가요? 그 이유는 무엇인가요?
A 제가 운동을 하기에 가장 좋아하는 장소는 집 근처의 피트니스 센터입니다.
왜냐하면 저녁에 사람이 많지 않기 때문입니다.

추가 질문 없이 한가지만 묻는 유형도 간혹 출제됩니다. 이러한 경우, 제시된 질문에 답변한 뒤 자유롭게 추가 문장을 덧붙여주세요.

Q Do you think the gym in your town is a good place to exercise?

A Yes, I think the gym in my town is a good place to exercise.
There are many kinds of exercise equipment. 추가 문장

Q 당신이 거주하고 있는 동네의 체육관이 운동하기에 좋은 장소라고 생각하나요?

A 저는 우리 동네의 체육관이 운동하기에 좋은 장소라고 생각합니다. 그곳에는 많은 종류의 운동 기구가 있습니다.

Question 7

7번 문제에서는 주어진 질문에 대한 자신의 생각을 30초간 답변합니다.
문제에 대한 자신의 입장을 밝힌 뒤, 두 가지 이유를 들어 이를 뒷받침해주세요.

Q Do you prefer to exercise alone or with your friends? Why?

A I prefer to exercise alone. 입장
First, it is easier to concentrate on exercising. 이유 1
Second, I can exercise regardless of time and location. 이유 2
Therefore, I prefer to exercise alone.

Q 혼자 운동하는 것과 친구들과 함께하는 것 중 어느 것을 선호하나요? 그 이유는 무엇인가요?

A 저는 혼자 운동하는 것을 선호합니다.
첫째로, 운동에 집중하기 더 쉽습니다.
둘째로, 저는 시간과 장소에 상관없이 운동할 수 있습니다.
따라서, 저는 혼자 운동하는 것을 선호합니다.

템플릿 학습

템플릿 5 　두 개의 의문사에 답변하기

질문 표현 활용하기　　✚　　의문사 답변 (답변 창작 구간)

질문의 표현을 이용해서 두 질문에 답변하는 방법을 배웁니다.

템플릿 6 　이유를 추가로 설명하기

첫 문장 (질문 표현 활용)　✚　이유 문장
동사 중심 / 형용사 중심 / 명사 중심

세 가지 대표 구문을 이용해서 이유를 추가로 설명하는 방법을 배웁니다.

템플릿 7 　의견 설명하기

입장　➡　이유 1　➡　이유 2　➡　마무리

특정 주제에 대해 30초간 자신의 의견을 설명하는 방법을 배웁니다.

템플릿 5 두 개의 의문사에 답변하기

두 가지 질문을 하는 유형은 5번 문제에서 주로 출제되며, 질문에 사용된 표현을 이용해서 답변하는 것이 중요합니다. 자주 출제되는 네 가지 의문문에 대한 답변 방식과 각 의문사별로 자주 사용되는 답변 아이디어를 학습해보겠습니다.

질문 표현 활용하기 **+** 의문사 답변 (답변 창작 구간)

When 의문문

• **과거의 경험을 묻는 질문**

과거 시점을 언급할 때 쓰이는 last와 ago가 답변에 자주 사용됩니다. 제시된 아이디어 중 하나를 선택해서 답변해주세요.

Q When **was** the last time you watched a movie? 마지막으로 영화를 본 것은 언제인가요?

A The last time I watched a movie **was** last month. 지난 달에 영화를 봤습니다.
질문 표현 활용하기   two weeks ago   2주 전에
    yesterday   어제
의문사 답변 (창작 구간)

TIP • 긴 주어 (the last time I watched a movie) 뒤에서 끊어 읽어주세요.
• you를 I로 바꾸어 답변을 시작할 수도 있습니다.
예 I watched a movie two weeks ago.

• **특정 시간대를 묻는 질문**

구체적인 시간대를 묻는 유형으로, 의문사 when이나 what time으로 질문을 시작합니다.

Q What time of the day **do** you usually leave for work or school? 직장이나 학교에 몇 시쯤 출발하나요?

A I usually leave for work around 8 A.M. 주로 오전 8시쯤 회사로 출발합니다.
질문 표현 활용하기   in the evening   저녁에
    (late) at night   (늦은) 밤에
의문사 답변 (창작 구간)

TIP 그 외 사용 가능한 표현
on weekends 주말에   during my vacation 휴가기간 동안   after school / work 방과 / 퇴근 후

How 의문문

빈도와 기간을 묻는 문제가 주로 출제됩니다.

• 빈도를 묻는 질문

특정 행동을 얼마나 자주 하는지를 묻습니다. 이어지는 6, 7번 문제에 쉽게 답변할 수 있도록 해본 적 없다, 하지 않는다와 같은 부정적인 답변은 피하는 것이 좋습니다.

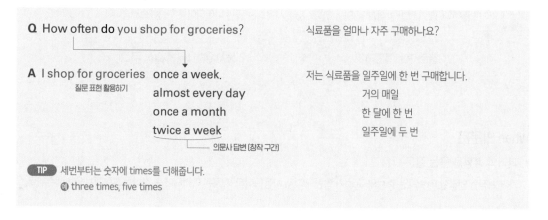

• 기간을 묻는 질문

기간을 묻는 의문사는 다양한 시제와 함께 사용됩니다. 질문의 시제를 답변에 그대로 사용하고, 전치사 **for** 혹은 **about**을 사용해서 기간을 추가해주세요.

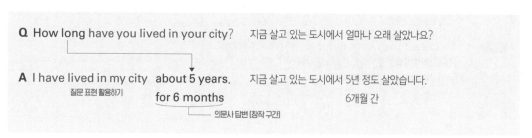

Where 의문문

장소에 대해서 묻는 유형입니다. 사실에 기반해서 답변을 만들기보다 자주 사용되는 전치사구를 이용해서 답변하는 연습을 해주세요.

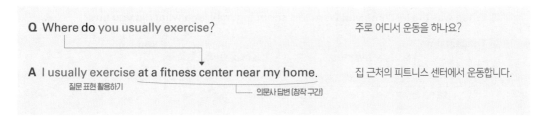

Q **Where do** you usually exercise?　　　주로 어디서 운동을 하나요?

A I usually exercise **at a fitness center near my home.**　집 근처의 피트니스 센터에서 운동합니다.
질문 표현 활용하기　　　　　　　의문사 답변 (창작 구간)

Questions 5-7

(**고득점 포인트**)

답변으로 자주 사용되는 표현 모음

at home/work 집/직장에서　at a department store 백화점에서　on the Internet 인터넷에서
on the subway 지하철에서　outdoors 야외에서

What 의문문

관심사를 묻는 유형이 자주 출제됩니다. 출제 가능한 주제의 범위가 넓기 때문에 특정 표현을 암기하기 보다 쉽고 익숙한 표현을 이용해서 답변을 만드는 연습이 중요합니다.

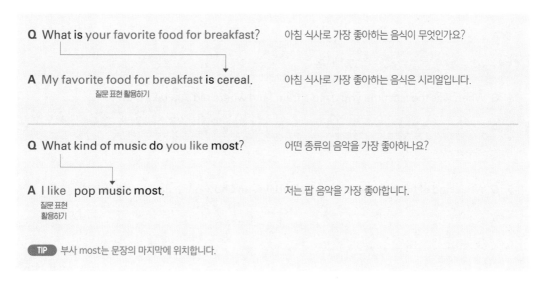

Q **What is** your favorite food for breakfast?　아침 식사로 가장 좋아하는 음식이 무엇인가요?

A My favorite food for breakfast **is cereal.**　아침 식사로 가장 좋아하는 음식은 시리얼입니다.
질문 표현 활용하기

Q **What** kind of music **do** you like **most**?　어떤 종류의 음악을 가장 좋아하나요?

A I like　pop music **most.**　저는 팝 음악을 가장 좋아합니다.
질문 표현
활용하기

TIP 부사 most는 문장의 마지막에 위치합니다.

의문사에 유의해서 다음 질문에 답변해보세요.

1 **Q** When was the last time you went to a shopping mall, and what did you buy?

 A The last time _____ _____ and
　　　　　　　　질문 표현 활용하기　　　　　　의문사 답변 (창작 구간)

 I _____ _____.
 　　질문 표현 활용하기　　　　의문사 답변 (창작 구간)

 TIP The last time을 주어로 사용할 경우, 의문사에 답변하기 전에 동사(was)를 꼭 추가해주세요.

2 **Q** What forms of transportation do you usually use in your area, and how often do you use them?

 A _____.

3 **Q** How many hours a day do you use a desktop or laptop computer, and what do you usually do with it?

 A _____.

4 **Q** When was the last time you used a train, and where did you take it to?

 A _____.

5 **Q** What kind of hobby do you have nowadays, and how often do you enjoy it?

 A _____.

📖 정답 및 해설 p.20

고득점 포인트

셀프 답변 점검

① 의문사에 대한 답변을 크게 말했나요?
　중요한 채점 포인트인 의문사 답변부에서 목소리가 작아지지 않게 유의해주세요.

② 답변 속도가 비교적 일정했나요?
　의문사 답변부에서 갑자기 답변 속도가 느려지는 분들이 많습니다. 답변 시간은 충분하니 일정한 속도로 답변하는
　연습을 해주세요.

③ 너무 욕심을 내지는 않았나요?
　제시된 두 질문에 답변하는 것만으로도 고득점을 받을 수 있으므로 추가 문장을 만들기 위해 서두를 필요는 없습니다.

템플릿 6 이유를 추가로 설명하기

6번 문제에서 자주 등장하는 유형은 하나의 질문 이후에 이유를 추가로 묻는 유형입니다. 먼저 질문에 사용된 표현을 이용해서 첫 문장을 만들어 준 뒤, 이에 대한 이유를 설명해줍니다.

첫 문장 (질문 표현 활용)   +   이유 문장
동사 중심 / 형용사 중심 / 명사 중심

Q Would you consider going to an amusement park in the evening? Why?

A I would consider going to an amusement park in the evening. 첫 문장

It's because there are fewer people in the evening. 이유 문장 (명사 중심)

Q 놀이공원에 저녁에 가는 것을 고려해보겠나요? 그 이유는 무엇인가요?

A 저는 놀이공원에 저녁에 가는 것을 고려해보겠습니다. 왜냐하면 저녁에는 사람이 적기 때문입니다.

이유 문장 대표 구문

이유 문장을 만드는 데 자주 쓰이는 세 가지 대표 구문을 학습해주세요.

동사 중심	**can** + 동사 ~할 수 있다 We can concentrate on our work. 우리는 일에 집중할 수 있습니다.
형용사 중심	**It is** + 형용사 + **to** 동사 ~하는 것이 형용사하다 It is helpful to make friends. 그것은 친구를 사귀는데 도움이 됩니다.
명사 중심	**There is/are** + 명사 ~에 ~가 있다 There are professional trainers in a fitness center. 피트니스 센터에는 전문 트레이너가 있습니다.

고득점 포인트

이유 문장 추가 구문

관심사	I'm (not) interested in + 명사	~에 관심이 있다 / 없다
	I'm not interested in cooking.	저는 요리에 관심이 없습니다.
필요성 - 긍정	need to / should + 동사	~해야 한다
	I need to eat more vegetables.	저는 야채를 더 많이 먹어야 합니다.
필요성 - 부정	I don't have to + 동사	~하지 않아도 된다
	I don't have to travel for a meeting.	저는 회의를 위해 이동하지 않아도 됩니다.

다음 질문을 읽고 첫 문장과 이유 문장을 만들어보세요. 그 후, 제시된 가이드라인을 따라 영작해보세요.

1 Do you prefer to watch movies at home or at a movie theater? Why?

집 ➡	동사 중심	I prefer to watch movies at _____. It's because <u>나는 편안한 분위기에서 영화를 볼 수 있다.</u>
극장 ➡	명사 중심	I prefer to watch movies at _____. It's because <u>극장에는 영화를 보기 위한 다양한 시설이 있다</u> .

2 Do you think your city needs more bike lanes on the street? Why or why not?

긍정 ➡	형용사 중심	Yes, I think _____. It's because <u>우리 도시에서 자전거를 타는 것은 위험하다</u> .
부정 ➡	명사 중심	No, I don't think _____. It's because <u>이미 우리 도시에 많은 자전거 도로가 있다</u> .

> TIP 답변 시작에 쓰이는 Yes와 No는 생략 가능합니다.

3 Would you rather drive a car or use public transportation in your city? Why?

운전 ➡	동사 중심	I would rather _____. It's because <u>나는 시간에 상관없이 이동할 수 있다</u> .
대중 교통 ➡	형용사 중심	I would rather _____. It's because <u>대중교통을 이용하는 것이 더 저렴하다</u> .

> TIP 질문에 사용된 시제를 답변에 그대로 사용해주세요. 답변 첫 문장에서 would를 빼고 말하는 분들이 많습니다.

4 Have you ever exercised at a fitness center? Why or why not?

긍정 ➡	동사 중심	Yes, I _____. It's because <u>나는 전문가로부터 운동하는 방법을 배울 수 있다</u> .
부정 ➡	형용사 중심	No, I _____. It's because <u>피트니스 센터에서 운동을 하는 것은 비싸다</u> .

5 If there were a bus tour of a city you were traveling, would you take it? Why or why not?

긍정 ➡	필요성 (부정)	Yes, I would _____. It's because <u>내가 여행 계획을 짜는 것을 걱정하지 않아도 된다</u> .
극장 ➡	관심사	No, I wouldn't _____. It's because <u>나는 버스 투어에 관심이 없다</u> .

TIP 새로운 문장으로 이유를 설명할 때는 because 앞에 It's를 더하는 것이 좋습니다.

■ 이유 문장 대표 구문

정답 및 해설 p.21-22

고득점 포인트

질문이 하나인 유형에 답변하기

6번 문제에서는 하나의 질문만 묻는 유형도 가끔 출제됩니다. 먼저 질문의 표현을 이용해서 첫 문장을 만든 뒤, 그 이유를 설명해주세요.

Q Do you think the gym in your town is a good place to exercise?
A I think the gym in my town is a good place to exercise. 첫 문장
  It's because there are many kinds of exercise equipment. 추가 문장 (이유)

Q 당신의 동네에 있는 체육관이 운동하기에 좋은 장소라고 생각하나요?
A 저는 우리 동네의 체육관이 운동하기에 좋은 장소라고 생각합니다.
  왜냐하면 그곳에는 많은 종류의 운동 기구가 있기 때문입니다.

TIP 다음의 아이디어도 추가 문장으로 자주 사용됩니다.

빈도	I exercise there almost every day. 저는 거기서 거의 매일 운동을 합니다.
함께하는 사람	I usually go there with my friends. 저는 그곳에 주로 친구들과 함께 갑니다.
주로 하는 일	I usually do weight training and yoga there. 저는 거기서 주로 웨이트 트레이닝과 요가를 합니다.

의견 설명하기

7번 문제에서는 질문에 대한 자신의 의견을 30초간 설명하게 됩니다. 앞서 학습한 이유 문장 대표구문을 이용해서 두 가지 이유를 설명해주세요. 만약 답변 시간이 많이 남았다면 두 번째 이유에 자유롭게 추가 문장을 더해주세요.

입장 ➡ 이유 1 ➡ 이유 2
[+ 추가 문장] ➡ 마무리

Q Do you prefer to exercise alone or with your friends? Why?

혼자 운동하는 것과 친구들과 함께하는 것 중 어느 것을 선호하나요? 그 이유는 무엇인가요?

입장	I prefer to exercise alone. 저는 혼자 운동하는 것을 선호합니다.
이유 1 **형용사 중심**	First, it is easier to concentrate on exercising. 첫째로, 운동에 집중하기 더 쉽습니다.
이유 2 **동사 중심**	Second, I can exercise regardless of time and location. 둘째로, 저는 시간과 장소에 상관없이 운동할 수 있습니다.
추가 문장 **(생략 가능)**	I can exercise in my room late at night. 저는 밤 늦게 제 방에서 운동할 수 있습니다.
마무리 **(생략 가능)**	Therefore, I prefer to exercise alone. 따라서, 저는 혼자 운동하는 것을 선호합니다.

TIP First 대신 It's because를, Second 대신 Also를 사용할 수 있습니다.

고득점 포인트

이유가 하나밖에 생각이 나지 않을 때

두 번째 이유가 생각나지 않는다면 첫 번째 이유 문장에 자연스럽게 연결되는 추가 문장을 말해주세요.
자신의 평소 생각을 설명하거나 짧은 경험담을 설명해주면 됩니다.

첫 번째 이유 First, it is easier to concentrate on exercising.
첫째로, 운동에 집중하기 더 쉽습니다.

+ 자신의 생각 If I exercise with my friends, it will be difficult to concentrate on exercising.
만약 친구와 함께 운동한다면, 운동에 집중하기 어려울 것입니다.

+ 자신의 경험 About 2 months ago, I exercised with my friends.
But we chatted too much while exercising.
약 2개월 전에, 저는 친구와 함께 운동을 했습니다. 그런데 우리는 운동 중에 잡담을 너무 많이 했습니다.

7번 문제 대표 유형

7번 문제 유형은 크게 네 가지로 나뉩니다. 사용하는 템플릿은 동일하지만 입장 문장을 만드는 방법이 다릅니다.

- **선호사항 묻기**

  두 가지 혹은 세 가지의 선택지 중 하나를 골라서 이유를 설명하는 유형입니다. I think + 주어(선택지) + 동사(질문의 동사)로 답변을 시작합니다. I think는 생략 가능합니다.

  > Where is your favorite place to study out of the following options? Why?
  > – University library　　– Café　　– Home
  >
  > ⇒ Café is my favorite place to study.
  > 　저는 카페에서 공부하는 것을 가장 좋아합니다.

- **개인적 견해 묻기**

  질문에 대한 입장을 밝힌 후 이유를 설명하는 유형입니다. you를 I로 바꾼 뒤 질문의 표현을 이용해서 답변을 시작합니다.

  > Would you spend a vacation camping at a camping site? Why or why not?
  >
  > ⇒ I would spend a vacation camping at a camping site.
  > 　저는 캠핑장에서 캠핑을 하며 휴가를 보낼 의향이 있습니다.

- **장단점 묻기**

  제시된 주제의 장점이나 단점을 설명하는 유형입니다. There are some advantages of – 로 답변을 시작합니다.

  > What are the advantages/disadvantages of using public transportation in your city compared to driving a car?
  >
  > ⇒ There are some advantages of using public transportation in my city compared to driving a car.
  > 　저희 도시에서 자동차를 운전하는 것에 비해 대중교통을 이용하는 것에는 몇 가지 장점이 있습니다.

- **의견 열거하기**

  제시된 주제에 대한 자신의 생각을 설명하는 유형입니다. There are some – 으로 답변을 시작하며, 입장 문장을 만들기 어려운 경우 바로 이유 문장으로 넘어가세요.

  > What do you think would be some challenges of raising a pet at home?
  > 집에서 애완동물을 기르는 데 어떤 어려움이 있다고 생각하나요?
  >
  > ⇒ There are some challenges of raising a pet at home.
  > 　집에서 애완동물을 기르는 데 몇 가지 어려움이 있습니다.

앞서 학습한 이유 문장 대표구문을 이용해서 7번 문제의 답변을 만들어보겠습니다.

선호사항 묻기   🔊 MP3   3_4

> Where is your favorite place to study out of the following options? Why?
> - University library   - Café   - Home
>
> 다음 중 어디서 공부하는 것을 가장 좋아하나요? 그 이유는 무엇인가요?
> - 대학교 도서관 - 카페 - 집

1 빈칸의 제시어를 이용해서 답변을 완성해보세요.

입장	_대학교 도서관_ is my favorite place to study. **TIP** 다음과 같이 시작할 수도 있습니다. My favorite place to study is 대학교 도서관.
이유 1	First, there are _편안한 책상과 의자_ in the university library.
이유 2	Second, I can _동기부여가 되다_ by other people.
마무리	Therefore, _대학교 도서관_ is my favorite place to study.

2 아래의 답변 키워드를 이용해서 전체 답변을 완성해보세요.

입장	My favorite place to study is _집_.
이유 1	**답변 키워드** 쉽다, 공부에 집중하기, 조용하기 때문에 First, _____.
이유 2	**답변 키워드** 공부할 수 있다, 편안한 분위기에서 Second, _____.
마무리	Therefore, my favorite place to study is _집_.

■ 이유 문장 대표 구문

(고득점 포인트)

같은 구문의 반복 사용 피하기

이유 문장을 만드는 데 가장 많이 쓰이는 구문은 can + 동사 입니다. 첫 번째 이유에 이어서 두 번째 이유에서도 can 구문을 사용해야 한다면 유사한 의미를 갖는 It is possible + to 동사 구문을 대신 사용해주세요.

개인적 견해

> Would you spend a vacation camping at a camping site? Why or why not?
>
> 당신은 캠핑장에서 캠핑을 하며 휴가를 보낼 의향이 있나요? 그 이유는 무엇인가요?

1 빈칸의 제시어를 이용해서 답변을 완성해보세요.

입장 (긍정)	I would _____ .
이유 1	First, there is __유명한 캠핑장__ near my house.
이유 2	Second, I can __휴식을 취하다__ __여유로운 분위기에서__ .
마무리	Therefore, I would _____ .

> **TIP** 질문의 would를 답변에도 꼭 사용해주세요.

2 아래의 답변 키워드를 이용해서 전체 답변을 완성해보세요.

입장 (부정)	I would not _____ .
이유 1	**답변 키워드** 비싸다, 캠핑 장비를 구매하는 것이 First, _____ .
이유 2	**답변 키워드** 잘 수 없다, 편안하게, 야외에서 Second, _____ .
마무리	Therefore, I would not _____ .

■ 이유 문장 대표 구문

> **TIP** wouldn't 의 발음이 어려우면 would not으로 말해주세요.

장단점 묻기

3_6 🔊 MP3

> What are the advantages/disadvantages of using public transportation in your city compared to driving a car?
> 당신이 살고 있는 도시에서 자동차를 운전하는 것에 비해 대중교통을 이용하는 것의 장점/단점은 무엇인가요?

1 빈칸의 제시어를 이용해서 답변을 완성해보세요.

입장	There are some advantages of using public transportation in my city compared to driving a car.
장점 1	First, it is __더 저렴하다__ to __이동하다__ in the city.
장점 2	Second, I can __교통 체증을 피하다__ during rush hour.
마무리	I think these are the advantages of using public transportation in my city compared to driving a car.

> **TIP** • 입장 문장에서 compared 이하는 생략해도 괜찮습니다.
> • 장단점을 묻는 문제에서는 이유 대신 장점 및 단점을 설명합니다.

2 아래의 답변 키워드를 이용해서 전체 답변을 완성해보세요.

입장	There are some disadvantages of using public transportation in my city compared to driving a car.
단점 1	**답변 키워드** 어렵다, 대중교통을 이용하는 것이, 혼잡 시간대에 First, _____.
단점 2	**답변 키워드** 많지 않다, 지하철역과 버스 정류장, 도시 내에 Second, _____.
마무리	I think these are the disadvantages of using public transportation in my city compared to driving a car.

■ 이유 문장 대표 구문

> **TIP** 장단점을 묻는 문제에서는 마무리 문장을 생략해도 괜찮습니다.

📖 정답 및 해설 p.22-24

학습한 템플릿을 적용해서 5-7번 문제의 전체 답변을 만들어보겠습니다.

> Imagine a British cooking magazine is conducting a survey on cooking habits.
> You have agreed to participate in a telephone interview about cooking habits.
>
> 영국의 한 요리 잡지가 요리 습관에 대해서 조사를 하고 있다고 가정해보세요.
> 당신은 요리 습관에 대한 전화 인터뷰에 참여하기로 동의하였습니다.

Q5	When was the last time you cooked and what did you make?
	언제 마지막으로 요리를 했으며, 무엇을 만들었나요?

A5	의문사 when 답변 _____ ,
	의문사 what 답변 and _____ .

Q6	Do you have a plan to buy a new cooking utensil in the near future? Why or why not?
	조만간 새로운 조리기구를 구매할 계획이 있나요? 그 이유는 무엇인가요?

A6	첫 문장 _____ .
	이유 문장 It's because _____ .

Q7	Do you think reading a cookbook is a good way to learn how to cook?
	요리책을 읽는 것이 요리를 배우기에 좋은 방법이라고 생각하시나요?

A7	입장 문장 _____ .
	첫번째 이유 First, _____ .
	두번째 이유 Second, _____ .
	마무리 문장 Therefore, _____ .

정답 및 해설 p.25

고득점 포인트

셀프 답변 점검

Q5 · 두 가지 의문사에 모두 답변했으며, 답변의 속도는 비교적 일정했나요?
　　· 의문사를 제대로 확인했으며, 의문사에 대한 답변을 크게 말했나요?
　　· 시제의 사용에 실수는 없었나요?

Q6 · 이유 문장을 추가로 말했나요?

Q7 · 질문의 표현을 이용해서 입장 문장을 실수없이 말했나요?
　　· 이유를 두 가지 말했나요?
　　· 이유를 하나만 말했다면 이에 대한 추가 문장을 말해주었나요?

실전 연습

문항별 준비 시간과 답변 시간을 지켜 다음의 질문에 답변해보세요.

1 🔊 MP3 3_7

TOEIC Speaking	Questions 5-7 of 11

> Imagine that a U.S newspaper company is doing some research in your country. You have agreed to participate in a telephone interview about public transportation.

Question 5   준비시간: 3초 / 답변시간: 15초

🔊 How often do you use public transportation, and what do you usually do when you use it?

🎤 _____

_____

_____

Question 6   준비시간: 3초 / 답변시간: 15초

🔊 Do you pay in cash when you use public transportation? Why or why not?

🎤 _____

_____

_____

Question 7   준비시간: 3초 / 답변시간: 30초

🔊 What changes would encourage you to take buses more often? Why?

🎤 _____

_____

_____

정답 및 해설 p.26

2 🔊 MP3 3_8

TOEIC Speaking	Questions 5-7 of 11

Imagine that a lifestyle magazine is preparing an article about your country.
You have agreed to participate in a telephone interview about bakeries.

Question 5 준비시간: 3초 / 답변시간: 15초

🔊 How often do you visit a bakery, and what do you usually buy there?

🎙 _____

_____

_____

Question 6 준비시간: 3초 / 답변시간: 15초

🔊 Do you prefer to go to a bakery in the morning or in the afternoon? Why?

🎙 _____

_____

_____

Question 7 준비시간: 3초 / 답변시간: 30초

🔊 Which of the following would be the most important factor when visiting a bakery?

- Location   - Wide selection   - Seating availability

🎙 _____

_____

_____

정답 및 해설 p.27

TOEIC Speaking	Questions 5-7 of 11

Imagine that you and your friend are having a conversation.
You two are talking about cafés around your home.

Question 5   준비시간: 3초 / 답변시간: 15초

🔊 How many cafés are there near your home, and how often do you go to one?

🎤 _____

_____

_____

Question 6   준비시간: 3초 / 답변시간: 15초

🔊 I see. What else do they sell besides beverages?

🎤 _____

_____

_____

Question 7   준비시간: 3초 / 답변시간: 30초

🔊 I spend a lot of money on coffee. Do you have any good ideas for saving money on drinking coffee?

🎤 _____

_____

_____

정답 및 해설 p.28

TOEIC Speaking	Questions 5-7 of 11

Imagine that a travel magazine is doing a survey in your area.

You have agreed to participate in an interview about buying souvenirs.

Question 5　준비시간: 3초 / 답변시간: 15초

🔊 When did you last receive a travel souvenir from your friend or family, and what was it?

🎤 _____

_____

_____

Question 6　준비시간: 3초 / 답변시간: 15초

🔊 What kind of souvenirs would you like to buy while traveling? Why?

🎤 _____

_____

_____

Question 7　준비시간: 3초 / 답변시간: 30초

🔊 Do you prefer to buy souvenirs for your family or friends during your trip? Why?

🎤 _____

_____

_____

정답 및 해설 p.29

5 🔊 MP3 3_11

| TOEIC Speaking | Questions 5-7 of 11 |

Imagine that you are talking on the telephone with a friend.
You are having a conversation about hair salons in your town.

Question 5   준비시간: 3초 / 답변시간: 15초

🔊 Where is your favorite hair salon, and how far is it from your home?

🎤 _____

_____

_____

Question 6   준비시간: 3초 / 답변시간: 15초

🔊 Do you have a plan to get a new hairstyle in the near future? Why or why not?

🎤 _____

_____

_____

Question 7   준비시간: 3초 / 답변시간: 30초

🔊 I want to change my hairstyle. Can you recommend a hair salon for me?
Please tell me why you like the place too.

🎤 _____

_____

_____

정답 및 해설 p.30

6 🔊 MP3 3_12

TOEIC Speaking	Questions 5-7 of 11

Imagine that a Canadian marketing firm is doing research in your area.
You have agreed to participate in a telephone interview about the cafeteria at your school or work.

Question 5   준비시간: 3초 / 답변시간: 15초

🔊 How frequently do you have lunch in the cafeteria at your school or work, and what do you usually eat?

🎤 _____

Question 6   준비시간: 3초 / 답변시간: 15초

🔊 What is the most popular menu item at the cafeteria in your school or work?

🎤 _____

Question 7   준비시간: 3초 / 답변시간: 30초

🔊 Which of the following do you think is the most necessary improvement for the cafeteria at your school or work? Why?
- A variety of menu choices   - Customer service   - The amount of seating

🎤 _____

정답 및 해설 p.31

Respond to questions   109

제이크쌤의 레벨UP 솔루션 고득점에 도움이 되는 팁을 소개합니다.

Q 답변 영작이 너무 어려워요.

A 아래의 해결책을 참조하세요.

- **한글 아이디어를 점검해 보세요.**
  영작을 하기에 너무 어렵고 난해한 한글 아이디어를 만드는 학습자가 많습니다. 쉽고 간단한 아이디어를
  영어로 신속히 바꿀 수 있도록 다양한 문제를 접해보면서 아이디어를 구상하는 연습이 매우 중요합니다.

- **새로운 표현의 사용은 가급적 피하세요.**
  영작해본 적이 없는 새로운 표현의 사용은 가급적 피하고, 익숙한 어휘와 구문을 이용해서 답변을 만드는 연습이 중요
  합니다. 처음 접하지만 중요도가 높다고 생각하는 표현은 익숙하게 말할 수 있도록 반복해서 연습해주세요.

- **처음부터 답변을 적으면서 연습하지 마세요.**
  독학을 하시는 분들 중에 문제를 읽은 뒤 바로 답변을 적는 분들이 있습니다. 문법의 정확도를 높일 수는 있겠지만, 답변
  순발력을 키우는 데는 도움이 되지 않습니다. 답변 시간을 지키며 반복 연습을 한 뒤, 답변 점검 차원에서 문장을 적어보
  는 것은 좋은 훈련이 됩니다.

Q 5번 문제에서 답변 시간이 많이 남아요.

A 두 개의 질문에 답변을 한 뒤에도 시간이 많이 남았다면 추가 문장을 말해주세요.
남은 시간이 부족하거나 마땅한 답변 아이디어가 없다면 가만히 대기해 주세요.

> **Q** How often do you exercise and what do you usually do?
> 얼마나 자주 운동을 하고, 주로 무슨 운동을 하나요?
>
> **A** I exercise once a week and I usually play tennis with my friends.
> We play tennis at a tennis court near my house. 추가 문장
> 저는 일주일에 한 번 운동을 하며 주로 친구들과 테니스를 칩니다.
> 우리는 저희 집 근처에 있는 테니스장에서 테니스를 칩니다.

Q 5번과 6번 문제의 답변이 겹치면 어떻게 하죠?

A 5번 문제에서 고득점을 위해서 추가로 설명한 문장이, 이어지는 6번 문제의 핵심 답변이 되는 경우가 있습니다. 이런 경
우 당황하지 말고 아래와 같이 답변을 시작한 뒤, 5번 질문에서 설명한 추가 문장을 한 번 더 말해주세요.

> As I said in the previous question, I don't have enough free time nowadays.
> 이전 질문에서 말했듯이, 요즘에는 자유시간이 충분하지 않습니다.

Q 7번 문제에서 입장 문장을 만들기가 어려워요.

A 먼저, 입장 문장의 제작 난이도가 높은 7번 문제와 추천하는 입장 문장의 예시를 살펴보겠습니다.

> **Q** How has your habit of listening to music changed compared to five years ago?
> 5년 전과 비교해서 음악을 듣는 습관이 어떻게 바뀌었나요?
>
> **A** There have been some changes in my habits of listening to music.
> 제가 음악을 듣는 습관에는 몇 가지 변화가 있었습니다.

제시된 입장 문장을 보면 질문의 내용을 그대로 답변으로 가져오는 것이 아니라, 문장의 구조에 많은 변화가 생긴 것을 알수 있습니다. 만약 입장 문장을 만들기 어렵다면 이를 과감히 생략한 후 바로 첫 번째 이유를 설명해주세요.

Q 7번 문제에서 답변 시간이 많이 남아요.

A 두 개의 이유를 말한 뒤에도 답변 시간이 많이 남았다면 추가 문장을 말해주세요.
첫 번째 이유 뒤에 추가 문장을 말하려 하다가 말문이 막혀서 두 번째 이유를 설명하지 못하는 경우도 있으니 추가 문장은 가급적 두 번째 이유 뒤에 말하는 것이 좋습니다.

> **A** First, it is easier to concentrate on exercising.
> Second, I can exercise regardless of time and location.
> So, it's more convenient to exercise. 추가 문장
> 첫째로, 운동에 집중하기 더 쉽습니다.
> 둘째로, 저는 시간과 장소에 상관없이 운동할 수 있습니다.
> 그래서, 운동을 하기 더 편리합니다.

Q 7번 문제에서 답변 시간이 부족해요.

A 답변 시간이 부족하다면 마무리 문장을 생략해주세요. 두 가지 이유만 잘 말하면 마무리 문장 없이도 만점을 받을 수 있습니다.

중요 표현 정리

🔊 MP3 3_13

5-7번 문제에서는 이유를 묻는 문제가 자주 출제됩니다. 이유 문장을 확장하는 데 자주 쓰는 표현을 정리해 두었으니 반복해서 연습해주세요.

can + 동사 ~할 수 있다

시간과 장소에 상관없이	**I can work** regardless of time and location. 시간과 장소에 상관없이 일할 수 있습니다. **TIP** anywhere at anytime 도 사용 가능합니다.
더 싼 가격에	**I can buy books** at a cheaper price on the Internet. 인터넷에서 더 저렴한 가격에 책을 구매할 수 있습니다. **TIP** cheaper 대신 discounted(할인된)를 사용할 수 있습니다.
짧은 시간에	**I can communicate a lot with my coworkers** in a short time. 직장 동료들과 짧은 시간에 많은 의사소통을 할 수 있습니다.
편안한 분위기에서	**I can study** in a comfortable atmosphere. 편안한 분위기에서 공부할 수 있습니다. **TIP** atmosphere 대신 environment(환경)를 사용할 수 있습니다.
만약 ~하면	**I can try on clothes** if I go to the store. 매장에 방문하면 옷을 입어볼 수 있습니다. **TIP** if 뒤에는 주어와 동사를 갖춘 완전한 문장을 만들어주세요.
미리	**I can experience working environment** in advance. 업무환경을 미리 경험해 볼 수 있습니다.

It is + 형용사 + to 동사 ~하는 것이(형용사)하다

더 ~하다 (비교급)	**It is easier to exchange clothes.** 옷을 교환하기 더 쉽습니다. **TIP** 비교급을 이용해서 형용사의 의미를 더 강조할 수 있습니다.
만약 ~하면	**It is difficult to concentrate** if I study with my friends. 친구와 함께 공부하면 집중하기가 어렵습니다.
~보다 더 ~하다	**It is cheaper to cook at home** than eating at a restaurant. 식당에서 먹는 것보다 집에서 요리하는 것이 더 저렴합니다.

~때문에	It is more convenient to buy books because I don't have to go to a bookstore. 서점에 가지 않아도 되기 때문에 책을 구매하기 더 편리합니다. **TIP** because 뒤에는 주어와 동사를 갖춘 완전한 문장을 만들어주세요.
~하는 것은 ~에게 중요하다	It is very important for university students to study a foreign language. 외국어를 공부하는 것은 대학생들에게 매우 중요합니다.
~하는 것에 비해	It is more fun to work out with somebody compared to exercising alone. 누군가와 함께 운동하는 것이 혼자 운동하는 것에 비해 더 즐겁습니다.
과거에 비해	It is more difficult to get a job now compared to the past. 과거에 비해서 현재는 취업이 더 어렵습니다.

There are + 명사 ~가 있다

~을 위한	There are many places for outdoor activities in my city. 우리 도시에는 야외 활동을 위한 장소가 많습니다.
~가 없다	There is no language school where I can learn a foreign language. 외국어를 배울 수 있는 어학원이 없습니다.
~와	There are many famous restaurants and tourist spots in my hometown. 제 고향에는 유명한 식당과 관광지가 많습니다.
~같은	There are many luxurious brands in a department store such as Chanel and Rolex. 백화점에는 샤넬이나 롤렉스 같은 명품 브랜드가 많습니다.
그래서, ~하다	There are many kinds of brands in a department store. So, it is convenient to shop. 백화점에는 많은 종류의 브랜드가 있습니다. 그래서 쇼핑을 하기에 편리합니다.

Questions
8-10

Respond to questions using information provided

제공된 정보를 사용하여

질문에 답하기

문제 구성

문제 번호	준비 시간	답변 시간	배점
3문제 (8, 9, 10번)	표 읽기 45초, 문항별 3초	15/15/30초	각 3점

시험 진행 순서

TOEIC Speaking

Questions 8-10: Respond to questions using information provided

Directions : In this part of the test, you will answer three questions based on the information provided. You will have 45 seconds to read the information before the questions begin. You will have three seconds to prepare and 15 seconds to respond to Questions 8 and 9. You will hear Question 10 two times. You will have three seconds to prepare and 30 seconds to respond to Question 10.

① 안내문

문제의 진행 방식을 설명하는 안내문을 화면에 보여 준 뒤 이를 음성으로 들려줍니다.

TOEIC Speaking

UTAH Global Marketing Conference
June 3rd, 9 A.M. - 5 P.M. LDS Conference Center

9:00 – 9:30	Welcome Speech (The Future of Marketing) – Dr. Susan
9:30 – 11:00	The Power of SNS – Dr. James Lynch
11:00 – 12:30	The Importance of Online Marketing – Joe Easton
12:30 – 2:00	Lunch
2:00 – 3:30	Group Discussion
3:30 – 4:30	~~Team Building Activities~~ canceled
4:30 – 5:00	Q & A Session

PREPARATION TIME
00:00:45

② 표 읽기

안내문이 사라지면 화면에 표가 등장하며, 내용을 먼저 읽어볼 시간이 45초 주어집니다.

TIP 표는 문제가 진행되는 동안 화면에 계속 표시됩니다.

TOEIC Speaking   Question 8 of 11

UTAH Global Marketing Conference
June 3rd, 9 A.M. - 5 P.M. LDS Conference Center

9:00 – 9:30	Welcome Speech (The Future of Marketing) – Dr. Susan
9:30 – 11:00	The Power of SNS – Dr. James Lynch
11:00 – 12:30	The Importance of Online Marketing – Joe Easton
12:30 – 2:00	Lunch
2:00 – 3:30	Group Discussion
3:30 – 4:30	~~Team Building Activities~~ canceled
4:30 – 5:00	Q & A Session

PREPARATION TIME | **RESPONSE TIME**
00:00:03 | **00:00:15**

③ 내레이션 및 문제

- 상황을 설명하는 내레이션이 끝나면 8번 문제를 한 번 들려줍니다. 그 후 3초의 준비 시간과 15초의 답변 시간이 주어집니다.

- 9번 문제를 한 번 들려준.뒤, 3초의 준비 시간과 15초의 답변 시간이 주어집니다.

- 10번 문제를 **두 번** 들려준 뒤, 3초의 준비 시간과 30초의 답변 시간이 주어집니다.

TIP 문제는 화면에 표기되지 않습니다.

출제 경향

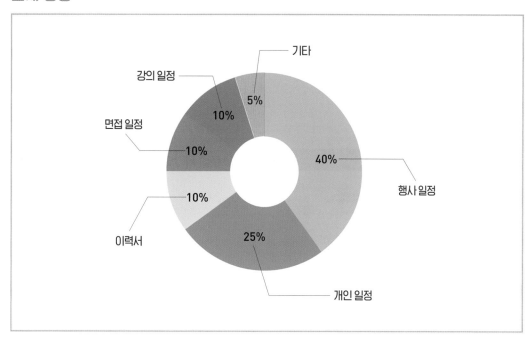

출제 유형

각 대표 유형별로 자주 출제되는 세부 유형을 살펴보겠습니다.

대표 유형	표 종류	학습 우선순위
행사 일정	컨퍼런스 일정, 신입사원 오리엔테이션, 직원 회의 일정 등	★★★★
개인 일정	개인의 일일 업무 일정, 출장 일정 등	★★★
이력서	업무 경력이 부각된 이력서, 학력 및 특이사항이 부각된 이력서 등	★★
면접 일정	신입사원 채용 면접 일정, 경력 직원 채용 면접 일정 등	★★
강의 일정	직원 교육 일정, 사설 학원 교육 일정, 피트니스 프로그램 일정 등	★★
기타	영수증, 주문내역서, 투어 일정표 등	★

준비 시간 활용법

① 표 읽는 시간 45초

다음에 유의해서 표를 읽어주세요.

- 먼저 표의 종류를 확인하세요.
- 표의 내용을 이해하며 읽는 것이 중요합니다.
- 눈에 띄는 특이정보(변경점 및 주의사항)가 있는지 확인하세요.

② 준비 시간 3초

문제를 들려준 후 3초의 준비 시간이 주어집니다. 표에서 답변으로 사용할 항목을 찾아두세요.

목표 레벨별 학습전략

130-150점 목표

- 대표 문제 유형과 답변 템플릿을 꼼꼼하게 학습해주세요.
- 난이도가 높은 9번 문제를 집중적으로 연습해주세요.
- 답변을 녹음해서 들어보며 문장의 강세와 끊어 읽기를 확인해주세요.

160점 이상 목표

- 130-150점 목표 전략을 학습해주세요.
- 항목 내 여러 키워드를 정확한 표현을 이용해서 연결하는 연습을 해주세요.
- 전치사, 관사 등 답변 시 빠뜨리는 키워드가 없도록 유의해주세요.

점수별 답변 분석

아래의 표를 읽어본 뒤 학생들의 점수별 실제 답변과 제이크쌤의 답변 피드백을 QR 코드로 확인해보세요.

The Washington Post
Winter Interns Orientation Session
Wednesday, January 14, Meeting room A

9:00 - 9:15 A.M.	Welcome Speech (Peter Sanders, chief editor)
9:15 - 10:00 A.M.	Overview of the Company and its Operations
10:00 - 10:30 A.M.	~~Tour: Editing Room~~ (*Rescheduled for Tuesday*)
10:30 - 11:30 A.M.	Presentation: Introduction to Benefit Package
11:30 A.M. - 12:30 P.M.	Meeting with Managers
12:30 - 1:30 P.M.	Lunch
1:30 - 2:30 P.M.	Presentation: Communicative Writing (Pamela Cameron, copy editor)
2:30 - 3:30 P.M.	Tour: Publishing Office, Printing Area

Hello. This is Alisa Felton, the head of human resources. I understand you're scheduling next week's intern orientation session and I have a few questions about it.

안녕하세요. 저는 인사부 책임자인 앨리사 펠튼입니다. 당신이 다음 주에 있을 인턴 오리엔테이션 일정을 기획한다고 알고 있는데, 몇 가지 물어볼 것이 있습니다.

Q8 Can you tell me what date the orientation is scheduled for and what time it begins?

오리엔테이션이 며칠에 예정되어 있고 몇 시에 시작하는지 알려주시겠어요?

Q9 Our operation manager would like some time in the morning to talk with the interns. Will there be time in the schedule for that?

운영 관리자가 오전에 인턴들과 이야기를 나누고 싶어합니다. 일정상 그럴 시간이 있을까요?

Q10 Can you give me the details of the schedule after lunch?

점심 시간 이후의 자세한 일정을 알려주시겠어요?

2점 답변 피드백

Q8	Can you tell me what date the orientation is scheduled for and what time it begins?
A8	The orientation will begin on Wednesday, January 14th, and it start at 9 A.M. ◎ 적합한 동사와 전치사를 사용해서 두 질문에 답변해 주었습니다. ✕ 동사의 활용에서 문법 실수가 있었습니다. (it start → it starts)
Q9	Our operation manager would like some time in the morning to talk with the interns. Will there be time in the schedule for that?
A9	Yes. Tour on editing room is rescheduled for Tuesday at 10 A.M. ◎ 난이도가 높은 9번 질문의 의도를 잘 이해했습니다. ✕ 명사를 연결하는 전치사의 사용이 정확하지 않았습니다. (on → of) ✕ 시간 정보의 위치가 부적절합니다. 　(투어가 오전 10시로 변경되었다는 의미가 될 수 있음)
Q10	Can you give me the details of the schedule after lunch?
A10	There are two scheduled sessions. First, Pamela Cameron will give a presentation on communicative writing at 1:30. Second, tour on publishing office and printing area will be scheduled at 2:30 P.M. ◎ 질문의 의도를 제대로 이해하고 두 항목을 설명해주었습니다. ✕ 문장에 부적절한 전치사와 시제가 사용되었습니다. 　(on → of, will be scheduled → is scheduled)

제이크쌤 총평
- 질문의 의도를 잘 이해한 뒤 답변으로 필요한 부분을 찾아서 설명해주었습니다.
- 문법과 어휘의 사용이 자연스럽지 않은 부분이 있습니다.

만점 답변 피드백

Q8	Can you tell me what date the orientation is scheduled for and what time it begins?
A8	The orientation will be held on Wednesday, January 14th, at 9 A.M. ◎ 적합한 동사와 전치사를 사용해서 두 질문에 답변해 주었습니다.
Q9	Our operation manager would like some time in the morning to talk with the interns. Will there be time in the schedule for that?
A9	Fortunately, the tour of the editing room has been rescheduled for Tuesday. So, there is some time from 10 to 10:30. ◎ 질문의 의도를 잘 이해했으며, 답변의 문법적 완성도가 높습니다. ◎ 상황에 맞는 시제를 사용했으며, 필요한 답변 요소를 꼼꼼히 설명해 주었습니다.
Q10	Can you give me the details of the schedule after lunch?
A10	There are two programs. First, Pamela Cameron, the copy editor will give a presentation on communication (communicative) writing at 1:30 P.M. Second, a tour of the publishing office and printing area is scheduled at 2:30 P.M. ◎ 제시된 여러 키워드를 자연스럽게 한 문장으로 말해주었습니다. ◎ 답변의 문법적 완성도가 높습니다. ✗ 표의 단어를 잘못 읽었지만 이것이 만점 획득에 큰 영향을 주지 않습니다. (communication → communicative)

Questions 8-10

제이크쌤 총평
▸ 질문의 의도를 잘 이해한 뒤 답변으로 필요한 부분을 자신감 있는 목소리로 정확히 설명해주었습니다.
▸ 제시된 상황에 어울리는 문법과 어휘를 사용했습니다.

문항별 특징

8-10번 문제에서 자주 등장하는 질문은 표의 유형과 상관없이 아래와 같은 특징을 가지고 있습니다.

Q8 난이도 (하)
표에서 쉽게 찾을 수 있는 정보를 묻는 문제가 출제됩니다. 의문사를 잘 들어주세요.
⑩ 오리엔테이션은 며칠에 열리며, 장소는 어디인가요?

The Washington Post

Winter Interns Orientation Session
Wednesday, January 14, Meeting room A

9:00 - 9:15 A.M.	Welcome Speech (Peter Sanders, chief editor)
9:15 - 10:00 A.M.	Overview of the Company and Its Operations
10:00 - 10:30 A.M.	~~Tour: Editing Room~~ (*Rescheduled for Tuesday*)
10:30 - 11:30 A.M.	Presentation: Introduction to Benefit Package
11:30 A.M. - 12:30 P.M.	Meeting with Managers
12:30 - 1:30 P.M.	Lunch
1:30 - 2:30 P.M.	Presentation: Communicative Writing (Pamela Cameron, copy editor)
2:30 - 3:30 P.M.	Tour: Publishing Office, Printing Area

Q10 난이도 (중)
두 가지 이상의 정보를 설명하는 유형으로 특정 시간대의 일정을 묻거나 공통점을 가진 항목들을 설명하는 문제가 출제됩니다. 준비 시간 동안 반복해서 등장하는 키워드가 있는지 살펴보세요.
⑩ 점심 식사 이후의 일정이 무엇인가요?
예정된 프레젠테이션 일정을 자세히 설명해주세요.

Q9 난이도 (상)
표의 내용을 잘 이해해야 답변할 수 있는 고난도 문제가 출제됩니다. 준비 시간 동안 표에서 변경된 사항이나 강조된 정보가 있는지 확인해두세요.
⑩ 편집실 견학이 오전에 예정되어 있다고 들었는데, 맞나요?

표 해석 - 정답 및 해설 p.32

필수 전치사

MP3   4_2

시간과 장소 설명에 쓰이는 전치사를 학습해두세요.

시간 관련 전치사

in + 월	in December
on + 날짜, 요일	on the 13th on April 24th on Friday
at + 시간	at 4 P.M.

장소 관련 전치사

in + 실내 장소	in hall A in room 507
in + 도시	in Chicago
at + 건물명	at the Vista Hotel at Ohio University at the Dell Conference Center
at + 번지수	at 324 Main Road
on + 거리(명)	on Elizabeth Street

숫자 읽는 법

날짜 (서수 사용)

1	first	21	twenty-first
2	second	22	twenty-second
3	third	25	twenty-fifth
5	fifth	31	thirty-first

 TIP
- 이 외의 숫자들은 뒤에 -th를 붙여서 읽어주세요.
- 13부터 19까지는 두 번째 음절인 thirteen에 강세를 두어 읽어주세요.

시간

9:30 A.M.	nine thirty A.M.
10 A.M. – 11 A.M.	from ten to eleven A.M.

기타 숫자

room 704	room seven oh four
flight 172	flight one seven two
352 Main Street	three five two Main Street

 TIP
- A.M.과 P.M.은 생략할 수 있습니다.
- 숫자 0은 '오(oh)'라고 읽어주세요.
- 기타 숫자가 두 자리인 경우에는 한 자리씩 읽지 않습니다. (room 17 → room seventeen)
- 숫자를 한 자리씩 읽는 경우 마지막 숫자에 강세가 옵니다.

Questions 8-10

템플릿 학습

표의 유형은 크게 다섯개로 나뉘며, 각 유형별로 답변 템플릿이 존재합니다. 본격적인 학습을 시작하기에 앞서 유형별 템플릿을 살펴보겠습니다.

템플릿 8 | 행사 일정

Q 8 시간 및 장소 설명	프로그램 will be held + 시간 및 장소 정보
Q 9 잘못된 정보 정정	I'm sorry, but you have the wrong information. + 올바른 정보 문장
Q 9, 10 항목 설명	• **사람이 포함되지 않은 항목** 프로그램 is scheduled + 시간 정보 There will be 프로그램 + 시간 정보 • **사람이 포함된 항목** 사람 will give a 프로그램 on 주제 프로그램 will be conducted by 사람
Q 10 다수 항목 설명	There are 개수 scheduled sessions. First, 항목 설명 문장 Second, 항목 설명 문장

템플릿 9 | 개인 일정

Q 8, 10 기본 일정 설명	be going to + 동사 원형
Q 9 일정 유의사항 설명	• **일정이 취소된 경우** Actually, 일정 has been canceled. • **일정 조정이 어려운 경우** Unfortunately, you are going to + 동사 원형
Q 10 특정 시간대의 일정 설명	There are 개수 scheduled appointments. First, 일정 설명 문장 Second, 일정 설명 문장

템플릿 10 이력서

Q8 학력 사항 설명	He/She received 학위 in 전공 at 출신 대학 in 졸업 연도
Q9 특이사항 설명	I think he/she is a suitable applicant because + 이유 문장.
Q10 업무 경력 설명	He/She has 개수 different kinds of work experience. He/She work(ed) at 직장명 as a 직급 + 근무 기간

템플릿 11 면접 일정

Q8 시간 및 장소 설명	The interview will be held + 시간 및 장소 정보
Q9 변경 및 취소 정보 설명	Actually, the interview scheduled at 시간 has been canceled.
Q10 면접 일정 세부 사항 설명	There are 개수 scheduled interviews. You will interview 사람 for 직위 at 시간 There will be an interview with 사람, who is applying for 직위 at 시간

템플릿 12 강의 일정

Q8, 9 기본 정보 설명	• 수업 일정 설명 프로그램 will begin/will be held + 시간 및 장소 정보 • 등록 마감일 설명 You need to register by 등록 마감일 • 비용 정보 설명 It is 금액 if you 동사 원형

Q10
강의 일정
세부 사항 설명
	• 강사 이름이 포함되지 않은 항목
	   You can take a 과목명 class + 날짜 및 시각
	   과목명 is scheduled + 날짜 및 시각
	
	• 강사 이름이 포함된 항목
	   강사 will teach a class on 과목명 + 날짜 및 시각
	   과목명 will be conducted by 강사 + 날짜 및 시각

Annual Marketing Conference
Tuesday, August 11 **Q8**
Red Creek Hotel

10:00 - 10:30 A.M.	Presentation: Marketing Trends (Monica Hardy) **Q10**
10:30 - 11:30 A.M.	Demonstration: SNS Marketing
11:30 A.M. - 12:00 P.M.	Question and Answer Session for the Financial Report (Sarah Thomson)
12:00 P.M. - 1:00 P.M.	Lunch (*not provided) **Q9**
1:00 - 2:00 P.M.	Guest Lecture: Next Generation Marketing (Makoto Miyagi, Tokyo Marketing Studio)
2:00 - 3:00 P.M.	Question and Answer Session for the Marketing Plans (Monica Hardy) **Q10**

📖 표 해석 - 정답 및 해설) p.32

유형의 특징
• 회의, 컨퍼런스 등 다양한 프로그램의 일정표 출제

준비 시간 전략
• 45초의 준비 시간 동안 서두르지 않고 내용을 이해하며 표를 읽는 것이 중요합니다.

　Guest Lecture: 　Next Generation Marketing 　(Makoto Miyagi, Tokyo Marketing Studio)
　　　프로그램　　　　　　　프로그램 주제　　　　　　　프로그램 진행자　　　　　진행자의 소속

문제 유형

Q8　표 상단에 시간과 장소 정보가 모두 표기되어 있다면 8번 문제에서 이에 대해 질문할 확률이 높습니다. 만약 정보가 둘 중 하나 밖에 없다면 참가 비용이나 시작 시간 등 다른 정보에 대해 질문할 가능성이 있습니다.
　　　ⓔ 컨퍼런스가 어디에서 열리고 며칠에 시작하나요?

Q9　변경된 정보나 강조된 특이 사항은 9번 문제에서 물어볼 확률이 높습니다.
　　　ⓔ 점심 식사가 모든 참여자들에게 제공된다고 들었는데, 맞나요?

Q10　반복해서 등장하는 단어(주제, 발표자, 프로그램 종류 등)는 10번 문제의 주제로 쓰일 확률이 높습니다.
　　　ⓔ 모니카 하디가 진행할 세션에 대해 모두 말해주세요.

Q8 시간 장소 설명

프로그램 will be held + 시간 및 장소 정보 (프로그램)이 ~에서 열릴 것입니다

특징	시간과 장소 설명에 사용하는 표현입니다. 답변의 주어는 표의 상단에서 찾을 수 있으며 It으로 대신할 수 있습니다.
답변 예시	The conference **will be held** on Tuesday, August 11th, at the Red Creek Hotel. 컨퍼런스는 8월 11일 화요일에 레드 크릭 호텔에서 열릴 것입니다.

Q9 잘못된 정보 정정

I'm sorry, but you have the wrong information. + 올바른 정보 문장
죄송하지만, 잘못 알고 계십니다

특징	질문자의 정보가 잘못된 경우 이를 정정해줍니다.
답변 예시	I'm sorry, but you have the wrong information. Lunch will not be provided. 죄송하지만, 잘못 알고 계십니다. 점심 식사는 제공되지 않습니다. **TIP** 모든 유형에서 사용되는 답변 방식입니다.

Q9, 10 항목 설명

- **사람이 포함되지 않은 항목**

프로그램 is scheduled + 시간 정보	(프로그램)이 (시간)에 예정되어 있습니다
There will be 프로그램 + 시간 정보	(프로그램)이 (시간)에 있을 것입니다

- **사람이 포함된 항목**

사람 will give a 프로그램 on 주제	(사람)이 (주제)에 대한 ~를 진행할 것입니다
프로그램 **will be conducted by** 사람	(프로그램)이 (사람)으로부터 진행될 것입니다

특징	세부 일정을 설명할 때 사용하는 표현으로, 활용 빈도가 매우 높습니다.
답변 예시	A demonstration on SNS marketing is scheduled at 10:30 A.M. SNS 마케팅 시연회가 오전 10시 30분에 예정되어 있습니다. There will be a demonstration on SNS marketing at 10:30 A.M. 오전 10시 30분에 SNS 마케팅 시연회가 있을 것입니다. Monica Hardy will give a presentation on marketing trends at 10 A.M. 모니카 하디는 오전 10시에 마케팅 동향에 대한 프레젠테이션을 할 것입니다. A Q&A session for the marketing plans will be conducted by Monica Hardy at 2 P.M. 마케팅 계획에 대한 질의응답 시간이 오후 2시에 모니카 하디로부터 진행될 것입니다. **TIP** 시간 정보는 문장의 마지막에 설명해주세요.

Q10 다수 항목 설명

- **시작 표현**

  There are 개수 scheduled sessions. ~개의 세션이 있습니다

- **항목 설명**

  First, 항목 설명 문장.   첫째로, ~

  Second, 항목 설명 문장.   둘째로, ~

특징	10번 문제에서는 주로 두가지 항목을 설명하게 됩니다. 항목 내 사람 이름이 포함되어 있는지 확인한 후, 각 항목을 다른 표현을 이용해서 설명해주세요.

연습 문제

◁)) MP3 4_4

학습한 템플릿을 이용해서 질문을 듣고 답변을 완성해보세요.

7th Annual Seminar on International Law

Tuesday, September 16th
Conference Room B
Registration fee: $25 ($30 after 10th)

9:00 - 10:00 A.M.	Opening Remarks: Law and Ethics
10:00 - 11:00 A.M.	Workshop: International Trade Law
Noon - 1:00 P.M.	Lunch Buffet
1:00 - 2:00 P.M.	Presentation: International Real Estate Contracts
2:00 - 3:00 P.M.	Video: The Facts of International Law
3:00 - 4:00 P.M.	Workshop: International Legal Disputes

Narration

Hi, this is James Green and I'm attending our law firm's annual seminar, but I lost my schedule. I'm hoping you can answer some of my questions.

안녕하세요, 저는 제임스 그린입니다. 저는 저희 법률 사무소의 연례 세미나에 참여할 예정인데 일정표를 잃어버렸습니다.
제 질문에 대답해 주시면 감사하겠습니다.

Question 8 빈출 유형

두 가지 정보를 묻는 문제가 자주 출제됩니다. 의문사를 잘 들어주세요.

Q   What room will the seminar be in? And what time does it start?

A   The seminar will be held _____.

세미나가 어디에서 열리나요? 그리고 몇 시에 시작하나요?
세미나는 회의실 B에서 오전 9시에 시작할 것입니다.

Q What time do the opening remarks begin and what are they about?

A The opening remarks will be held _____ and
they are about _____ .

개회사가 몇 시에 시작하며 그것은 어떤 내용인가요?

개회사는 오전 9시에 열릴 것이며, 법과 윤리에 대한 내용입니다.

> **TIP** 전치사 on을 사용해서 프로그램과 주제를 함께 설명할 수 있습니다.
> 예 The opening remarks **on** law and ethics will be held at 9 A.M.

Question 9 빈출 유형
잘못된 정보를 정정해 주는 문제가 자주 출제됩니다.

Q I want to attend the presentation on international real estate contracts.
That is scheduled in the morning, right?

A I'm sorry, but you have the wrong information.
The presentation _____ .

국제 부동산 계약에 대한 발표에 참여하고 싶습니다. 그것은 아침에 예정되어 있지요?

죄송하지만, 잘못 알고 계십니다. 그 발표는 오후 1시에 예정되어 있습니다.

Q I heard that the registration fee is $25 if I sign up on the day the seminar starts. Right?

A I'm sorry, but you have the wrong information.
If you _____ .

세미나 시작 당일에 등록하면 비용이 25달러라고 들었습니다. 맞나요?

죄송하지만 잘못 알고 계십니다. 세미나 당일에 등록하면 30달러입니다.

> **TIP** • 비용을 말할 때 사용하는 표현을 학습해 두세요.
> It is 금액 if you + 동사   만일 ~ 하면 비용이 ~입니다.
> • 질문에 사용된 표현을 답변에 그대로 사용하지 않아도 고득점을 받을 수 있습니다.
> 예 If you sign up after the 10th, it is $30.   10일 이후에 등록하면 30달러입니다.

Question 10 빈출 유형
특정 시간대의 일정을 묻거나 공통점을 가진 두 항목을 설명하는 문제가 출제됩니다.

Q I want to participate in all the workshops. Can you tell me all the details about the
workshops?

A There are _____ .
First, _____ is scheduled _____ .
Second, there will be _____ .

저는 모든 워크샵 일정에 참여하고 싶습니다. 워크샵에 대한 모든 세부사항을 알려주시겠어요?

두 가지 예정된 세션이 있습니다. 첫째로, 국제 무역법에 대한 워크샵이 오전 10시부터 11시까지

예정되어 있습니다. 둘째로, 국제 법률 분쟁에 대한 워크샵이 오후 3시부터 4시까지 있을 것입니다.

> **TIP** 세 가지 항목을 묻는 문제도 가끔 출제됩니다. 이 경우 각 항목의 앞에 First, Second, Lastly를 붙여주세요.

■ 템플릿 〔정답 및 해설〕 p.33

Nick White, Hair & Makeup Artist

Wednesday, July 17

12:30 P.M.	Depart Paris (Air France Flight 513) **Q8**
3:00 P.M.	Arrive in Rome (stay in Ariston Hotel)
6:00 P.M.	Dinner with Laura Cook, Instyle Magazine

Thursday, July 18 Q10

9:00 A.M. - 5:00 P.M.	ALC Photography Conference (Anderson Conference Center)
7:30 P.M. - 9:00 P.M.	Brides Magazine publishing party (Radisson Hotel)

Friday, July 19

10:00 A.M. - 11:30 A.M.	~~Makeup demonstration~~ canceled **Q9**
3:00 P.M.	Depart Rome (Air France Flight 507)
5:30 P.M.	Arrive in Paris

📖 표 해석 - 정답 및 해설 p.35

유형의 특징
• 개인의 업무 일정 혹은 출장 일정에 대해 질문하는 유형

준비 시간 전략
• 명사로 표기된 일정(dinner, party)에 어울리는 동사를 미리 생각해 두세요.

문제 유형

Q8 첫 번째 일정에 대해서 묻는 문제가 출제될 확률이 높습니다.
　　예 제가 몇 시에 파리에서 출발하며, 어떤 교통편을 이용하나요?

Q9 일정 조정 가능 여부를 묻거나 변경된 정보를 이용해서 답변하는 문제가 출제됩니다.
　　예 금요일 오전에 메이크업 시연이 있는게 맞나요?

Q10 특정일 혹은 특정 시간대의 일정을 설명하는 문제가 출제됩니다.
　　예 제 목요일 일정을 설명해주세요.

고득점 포인트

준비 시간 동안 동사 생각해두기

give	a speech 연설	a lecture 강연	a presentation 프레젠테이션	
have	lunch 점심 식사	a meeting 회의	a conference call 전화 회의	
attend	a seminar 세미나	a conference 컨퍼런스	a tour 견학	a party 파티
lead	a workshop 워크샵	a discussion 토론		

Q8, Q10 기본 일정 설명

be going to + 동사 원형	~ 할 예정입니다

특징	단순 미래시제인 will 대신 be going to를 사용해서 일정을 설명합니다.
답변 예시	**You are going to depart Paris on Air France Flight 513 at 12:30 P.M.** 당신은 오후 12시 30분에 에어 프랑스 513편을 타고 파리에서 출발할 예정입니다. **TIP** 교통편 앞에는 전치사 on을 사용하고, 비행기 탑승 시각은 A.M./P.M.을 함께 말합니다.

Q9 일정 유의 사항 설명

- **일정이 취소된 경우**

  Actually, 일정 has been canceled   사실, (일정)이 취소되었습니다

- **일정 조정이 어려운 경우**

  Unfortunately, you are going to + 동사 원형   안타깝게도, ~ 할 예정입니다

답변 예시	**Actually, the makeup demonstration has been canceled.** 사실, 메이크업 시연이 취소되었습니다. **TIP** 변경되거나 취소된 정보는 현재완료 수동태 시제를 사용해주세요. (have been + p.p) **Unfortunately, you are going to have dinner with Laura Cook from Instyle Magazine.** 안타깝게도, 당신은 인스타일 잡지사의 로라 쿡과 저녁 식사를 할 예정입니다.

Q10 특정 시간대의 일정 설명

- **시작 표현**

  There are 개수 scheduled appointments   ~개의 일정이 예정되어 있습니다

- **항목 설명**

  First, 일정 설명 문장   첫째로, ~

  Second, 일정 설명 문장   둘째로, ~

특징	특정 시간대 혹은 특정 일자의 세부 일정을 설명합니다.
답변 예시	**There are two scheduled appointments. First, you are going to attend the ALC photography conference at the Anderson Conference Center from 9 A.M. to 5 P.M. Second, you are scheduled to attend the Brides Magazine publishing party at the Radisson Hotel at 7:30 P.M.** 두 개의 일정이 예정되어 있습니다. 첫째로, 오전 9시부터 오후 5시까지 앤더슨 컨퍼런스 센터에서 열리는 ALC 사진 컨퍼런스에 참석할 것입니다. 둘째로, 오후 7시 30분에 래디슨 호텔에서 열리는 브라이드 잡지사 출판 기념 파티에 참석할 예정입니다. **TIP** • center와 hotel 앞에는 정관사 the를 붙입니다. • 개인 일정에서는 첫 문장에 sessions대신 appointments를 사용합니다. • be going to 대신 be scheduled to를 사용해서 동일한 표현의 반복을 피해주세요.

학습한 템플릿을 이용해서 질문을 듣고 답변을 완성해보세요.

TURNER Publishing Company
Daily Schedule for Paul Jensen

8:30 A.M. – 9:30 A.M.	**Meeting** (Cindy Lee, advertising agent)
9:30 A.M. – 9:45 A.M.	**Call** (Matthew Ericson, travel agent) - Confirm conference travel details
9:45 A.M. – 10:45 A.M.	**Meeting with authors** 9:45 A.M. – 10:15 A.M. Karen Parker 10:15 A.M. – 10:45 A.M. Jay Franklin
11:00 A.M. – Noon	**Meeting** (Design team) - Confirm book cover designs
Noon – 1:00 P.M.	**Lunch**
1:00 P.M. – 1:45 P.M.	~~**Interview** (Maria Novar, assistant editor position)~~ *Canceled*
1:45 P.M. – 3:00 P.M.	**Meeting** (Spencer Miller, conference co-presenter)

Narration

Hi, this is Paul Jensen. I have a problem checking my schedule for tomorrow, so I wanted to ask you some questions about my schedule.

안녕하세요, 저는 폴 젠슨입니다. 내일 제 일정을 확인하는 데 문제가 좀 있어서, 제 일정에 대해 몇 가지 물어보고 싶은 것이 있습니다.

Question 8 빈출 유형

첫 번째 일정에 대해 묻는 문제가 자주 출제됩니다. 의문사를 잘 들어주세요.

Q   I have a meeting tomorrow morning. What time does it start and who is it with?

A   You are going to _____.

저는 내일 아침에 회의가 있습니다. 몇 시에 시작하고 누구와 함께 하나요?

당신은 오전 8시 30분에 광고 대리인인 신디 리와 회의를 할 것입니다.

Question 9 빈출 유형

변경된 정보를 이용해서 답변을 만들거나 일정의 조정 가능 여부를 묻는 문제가 자주 출제됩니다.

Q   I think I have a job interview with someone tomorrow. What time is it scheduled?

A   Actually, the interview scheduled at 1 P.M. _____.

내일 누군가와 면접을 진행하는 것으로 알고 있습니다. 몇 시에 예정되어 있나요?

사실, 오후 1시에 예정된 면접은 취소되었습니다.

> **TIP** • scheduled at 1 P.M은 생략 가능합니다.

Q I'm planning to have lunch with a client, so I'd like to leave before noon if there isn't anything scheduled. Will it be possible?

A Unfortunately, you are going to _____.

고객과 함께 점심 식사를 할 예정이라 특별한 일정이 없다면 12시 전에 출발하고 싶습니다. 가능할까요?

안타깝게도, 당신은 디자인팀과 오전 11부터 정오까지 표지 디자인을 결정하기 위한 회의를 할 예정입니다.

Question 10 빈출 유형

특정 시간대의 일정이나 공통점이 있는 두 가지 항목을 설명하는 문제가 자주 출제됩니다.

Q Can you please tell me all the plans related to the conference?

A There are _____.

First, _____.

Second, _____.

컨퍼런스에 관련된 모든 일정을 알려주시겠어요?

두 가지의 일정이 있습니다. 첫째로, 당신은 오전 9시 30분에 컨퍼런스 출장의 세부 정보를 확정하기 위해 여행사 직원인 매튜 에릭슨과 통화할 것입니다. 둘째로, 당신은 오후 1시 45분에 컨퍼런스 공동 발표자인 스펜서 밀러와 회의를 할 것입니다.

 TIP • 이름과 직급을 함께 말할 때는 이름을 말한 후 잠시 쉬었다가 직급 앞에 the를 붙여서 말해주세요.
• 각 항목을 다른 패턴으로 답변하는 것이 고득점에 유리합니다.
• 개인 일정에서는 첫 문장에 sessions 대신 appointments를 사용합니다.

■ 템플릿 정답 및 해설 p.35-36

MP3 4_7

Albert Becker

625 Velmont Avenue, West Babylon
(041)936-1918 albert13@martin.com

Desired Position	Senior Accountant		
Preferred Branch	Freeport Branch		
Career	Bay Shore Corporation	Head Accountant	2016-present
	Stony Accounting Agency	Assistant Accountant	2010-2015 Q10
Education	Huntington University	Bachelor's Degree: Accounting 2010 Q8	
Qualification	Certified Public Accountant		
	Certification in Local Financial Regulations and Policies Q9		

표 해석 · 정답 및 해설 p.37

유형의 특징

• 지원자의 이력서를 보면서 면접관의 질문에 답변하는 유형

준비 시간 전략

• 이력서는 학력사항, 업무 경력, 특이사항(자격증, 외국어, 수상내역 등)의 세 부분으로 나뉩니다. 표를 천천히 읽으면서 해당 정보를 확인해두세요.

문제 유형

Q8 지원자의 학력사항에 대해 묻는 문제가 주로 출제됩니다.
   예) 그는 어느 대학을 다녔고, 무엇을 전공했나요?

Q9 지원자의 업무 적합도 여부를 묻는 문제가 주로 출제됩니다.
   예) 이번에 고용할 사람은 지역 금융 정책 관련 프로젝트를 맡아야 하는데, 문제가 될까요?

Q10 지원자의 업무 경력에 대해 묻는 문제가 주로 출제됩니다.
   예) 그의 모든 업무 경력에 대해 자세히 설명해주세요.

TIP 8번에서 지원자의 경력, 10번에서 학력 사항을 묻는 경우도 있습니다.

고득점 포인트

특이사항 설명에 자주 쓰이는 4가지 표현

보유 자격증	He has a certification in + 자격증 이름
수상 내역	She received an award in + 상 이름
외국어 능력	He is fluent in + 외국어 종류
업무 경험	She has some experience in + 업무 분야

Q8 학력 사항 설명

He/She received 학위 **in** 전공 **at** 출신 대학 **in** 졸업 연도
그/그녀는 (졸업년도)에 (출신대학)에서 (전공)학 (학위)를 받았습니다

특징	학력 사항 정보를 한 문장으로 설명해주세요.
답변 예시	He received a bachelor's degree in accounting at Huntington University in 2010. 그는 2010년에 헌팅턴 대학에서 회계학 학사 학위를 받았습니다.

Q9 특이사항 설명

I think he/she is a suitable applicant because + 이유 문장
그/그녀가 (이유) 때문에 적합한 지원자라고 생각합니다

특징	지원자의 업무 적합도 여부를 설명합니다. 지원자가 왜 업무에 적합한지를 설명하는 것이 중요하며, 이력서 하단의 특이사항 관련 정보에서 그 이유를 찾을 수 있습니다.
답변 예시	I think he is a suitable applicant because he has a certification in local financial regulations and policies. 저는 그가 적합한 지원자라고 생각하는데, 그 이유는 그가 지역 금융 규정과 정책에 대한 자격증을 가지고 있기 때문입니다.

Q10 업무 경력 설명

- **시작 표현**

  He/She has 개수 **different kinds of work experience**
  그/그녀는 ~가지의 업무 경력이 있습니다

- **항목 설명**

  He/She work(ed) at 직장명 **as a** 직급 + 근무 기간
  그/그녀는 (직장명)에서 (직급)으로 (근무 기간)동안 일을 했습니다

특징	지원자의 업무 경력을 자세히 설명합니다.
답변 예시	He has two different kinds of work experience. First, he worked at Stony Accounting Agency as an assistant accountant from 2010 to 2015. And then, he has been working at Bay Shore Corporation as a head accountant since 2016. 그는 두 가지의 업무 경력이 있습니다. 첫째로, 그는 스토니 회계 에이전시에서 보조 회계사로 2010년부터 2015년까지 근무했습니다. 그리고 나서 그는 베이 쇼어 주식회사에서 2016년도부터 수석 회계사로 근무하고 있습니다. **TIP** · 과거 이력부터 설명해주세요. · 지원자가 아직 재직중인 경우, 현재완료 진행형(has been working) 시제를 사용해주세요. · 이력서에는 직급 앞에 관사 a를 사용합니다.

학습한 템플릿을 이용해서 질문을 듣고 답변을 완성해보세요.

Cathy Cooper

12 George Street, Spring Hill City, Canberra
071-335-5981
cooperstown@coles.com

Desired Position	Editing Manager	
Education	Queensland University – Master's Degree (English)	2013
	Riverdale University – Bachelor's Degree (English)	2011
Work Experience	Carindale Publishing, Head Editor	2018-present
	Wellers Enterprises, Assistant Editor	2013-2018
Qualifications	Native-speaker fluency in French	
	Certificate of professional writing and editing	

Narration

Hi, I'm going to interview Cathy Cooper in a few minutes, but I don't have her résumé with me. I was hoping you could help me.

안녕하세요, 저는 잠시 후에 캐시 쿠퍼의 면접을 진행할 것인데, 그녀의 이력서를 가지고 있지 않습니다. 저를 도와주시면 감사하겠습니다.

Question 8 빈출 유형

지원자의 학력 사항에 대해 묻는 문제가 주로 출제됩니다.

Q   Where did she earn her bachelor's degree, and in what year did she receive it?

A   She _____.

그녀는 학사 학위를 어느 대학에서 몇 년도에 받았나요?

그녀는 리버데일 대학에서 영어학 학사 학위를 2011년도에 받았습니다.

> **TIP** 학사 학위 취득 장소와 졸업 연도를 이용해서 문장을 만들기보다는 학력 사항 설명 템플릿을 이용하면 실수를 줄일 수 있을 뿐 아니라 더 쉽게 답변할 수 있습니다.

Question 9 빈출 유형

보유한 자격증, 외국어 능력, 수상 내역 등 지원자의 특기를 묻는 문제가 주로 출제됩니다.

Q   The person we need to hire will have to edit our materials in French. Would that be a problem for Ms. Cooper?

A   I think she is a suitable applicant because _____.

우리가 고용할 사람은 프랑스어로 된 자료를 편집해야 합니다. 이것이 쿠퍼씨에게 문제가 될까요?

저는 그녀가 적합한 지원자라고 생각하는데, 왜냐하면 그녀가 프랑스어를 유창하게 구사할 수 있기 때문입니다.

Q   The position she is applying for requires professional editing skills.
Do you think she is suitable for the job?

A   I think she is a suitable applicant because _____.

그녀가 지원한 직위는 전문적인 편집 능력을 필요로 합니다. 그녀가 이 일에 적합하다고 생각하나요?

저는 그녀가 적합한 지원자라고 생각하는데, 왜냐하면 그녀가 전문적인 작문과 편집에 대한 자격증을 보유하고 있기 때문입니다.

Question 10 빈출 유형

지원자의 업무 경력에 대해 묻는 문제가 주로 출제됩니다.

Q   Will you please give me all the details about her employment history?

A   She has two different kinds of work experience.
First, _____.
And then, _____.

그녀의 근무 경력에 대해서 자세히 말해주시겠어요?

그녀는 두 가지의 업무 경력이 있습니다. 첫째로, 그녀는 웰러스 기업에서 보조 편집자로 2013년부터 2018년까지 근무했습니다. 그리고 나서 캐린데일 출판사에서 2014년부터 수석 편집자로 근무하고 있습니다.

TIP   시간의 흐름에 따른 업무 경력을 설명하는 경우 두 번째 경력은 And then, 으로 시작하는 것이 자연스럽습니다.

■ 템플릿 정답 및 해설 p.37-38

	Blackstone Investment Company Job Interview Schedule Monday, March 21 9 A.M. – 2 P.M Q8		
Time	**Name**	**Job title**	**Location**
9:00	Linda Olsen	Sales Representative	Conference room
~~9:30~~	~~Will Coleman~~	~~Sales Representative~~	canceled Q9
10:00	Dave Robinson	Administrative Assistant	Conference room
10:30	Allen Lee	Finance Director Q10	Room 107
11:00	Tyler Evans	Sales Representative	Conference room
11:30	Madison Bridge	Finance Analyst Q10	Room 105
1:30	Peter Griffith	Marketing Director	Room 105

📖 표 해석 - 정답 및 해설 p.39

유형의 특징
• 채용 면접 일정에 대한 질문에 답변하는 유형

준비 시간 전략
• 먼저, 면접 날짜, 장소, 시작 시간을 확인하세요. 그 후 면접 일정에 변경사항이나 유의사항이 있는지를 확인한 후, 반복적으로 등장하는 직위(job title)가 있는지 체크해두세요. 끝으로 남는 시간을 이용해서 지원자의 이름을 소리 내어 읽어 두세요.

문제 유형
Q8 면접 시간과 장소에 관해서 묻는 주제가 주로 출제됩니다.
⟨예⟩ 면접은 며칠에 진행되고, 첫 번째 면접은 몇 시에 시작하나요?

Q9 변경되거나 취소된 면접 일정을 이용해서 답변을 만드는 유형이 출제됩니다.
⟨예⟩ 제가 오전에 급하게 처리할 업무가 있는데, 혹시 면접 일정 중간에 여유 시간이 있을까요?

Q10 동일한 직위에 지원한 사람들의 면접 일정을 설명하는 유형이 주로 출제됩니다.
⟨예⟩ 재무 관련 직위에 지원한 사람들의 면접 일정을 알려주세요.

Q8 시간 및 장소 설명

The interview will be held + 시간 및 장소 정보
시간/장소에서 면접이 열릴 것입니다

특징	면접 시간이나 장소를 설명합니다.
답변 예시	**The interview will be held on Monday, March 21st at 9 A.M.** 면접은 3월 21일 월요일 오전 9시에 열릴 것입니다.

Q9 변경 및 취소 정보 설명

Actually, the interview scheduled at 시간 **has been canceled.**
사실, (시간)에 예정되었던 면접이 취소되었습니다.

특징	변경되거나 취소된 면접 일정을 설명합니다.
답변 예시	**Actually, the interview scheduled at 9:30 has been canceled.** 사실, 9시 30분에 예정되었던 인터뷰는 취소되었습니다. **TIP** 지원자의 이름과 희망 직위는 언급하지 않아도 됩니다.

Q10 면접 일정 세부 사항 설명

* **시작 표현**

  There are 개수 **scheduled interviews.**
  ~개의 예정된 면접이 있습니다

* **세부 사항 설명**

  You will interview 사람 **for** 직위 **at** 시간
  (직위)에 지원한 (사람)을 (시간)에 면접 볼 예정입니다

  There will be another interview with 사람, **who is applying for** 직위 **at** 시간
  (직위)에 지원한 (사람)의 면접이 (시간)에 있습니다

특징	특정 시간대나, 동일한 직위에 지원한 지원자들의 면접 세부 사항을 설명합니다. 같은 표현을 반복해서 말하지 않도록 두 표현 모두 학습해두세요.
답변 예시	**There are two scheduled interviews.** **First, you will interview Allen Lee for the finance director position at 10:30 in room 107. Second, there will be another interview with Madison Bridge, who is applying for the finance analyst position at 11:30 in room 105.** 2개의 면접 일정이 있습니다. 첫째로, 당신은 재무 부장 자리에 지원하는 앨런 리를 10시 30분에 107호실에서 면접 볼 예정입니다. 둘째로, 재무 분석가 자리에 지원하는 매디슨 브릿지의 면접이 105호실에서 11시 30분에 있습니다. **TIP** • 직위 명 앞에는 the를, 뒤에는 position을 붙여서 말해주세요. • 반복해서 등장하는 명사 interview 앞에 한정사 another를 더해줄 수 있습니다.

학습한 템플릿을 이용해서 질문을 듣고 답변을 완성해보세요.

Dora's Kitchen
Human Resources Department - Job Interview Schedule
Monday April 16, Meeting Room C

Time	Applicants	Position	School
9:00 – 9:30	Ashley Penrose	Sales Associate	Phillips College
9:30 – 10:00	Sherin Lee	Research Manager	Lake Hart College
10:00 – 10:30	Dax Nelson	Sales Associate	Jacksonville College
10:30 – 11:00	~~Daniel Harris~~	~~Data Analyst~~ *Canceled*	~~Orlando University~~
2:00 – 2:45	Becky Currie	Sales Manager	South Tampa College
3:00 – 3:45	Steve Johns	Customer Service Representative	Wilson University
4:00 – 4:45	Jennifer Drake	Product Researcher	Campbell Tech

Narration

Hello, this is Jack. I'm supposed to interview some applicants tomorrow, but I don't have a copy of the schedule. Could you answer a few questions I have about the applicants?

안녕하세요, 저는 잭입니다. 내일 몇몇 지원자들의 면접이 예정되어 있는데, 일정표 사본이 없습니다. 지원자들에 대한 몇 가지 질문에 대답해 주실 수 있나요?

Question 8 빈출 유형

면접의 날짜와 장소를 묻는 문제가 주로 출제되며, 첫 번째 면접의 시작 시간에 대해서 묻기도 합니다.

Q What time does the first interview start and where do the interviews take place?

A The first interview _____.

첫 번째 면접은 몇 시에 시작하며, 어디에서 진행되나요?

첫 번째 면접은 회의실 C에서 오전 9시에 진행됩니다.

> **TIP** 시간과 장소 정보는 전치사를 이용해서 한 문장으로 설명해주세요.

Question 9 빈출 유형

변경되거나 취소된 면접 일정을 이용해서 답변하는 유형이 출제됩니다.

Q I'm going to interview Dax Nelson at 10 A.M. and I think I need 30 more minutes to interview him. Is it possible to extend the interview time?

A Actually, the interview _____.

So, _____.

오전 10시에 닥스 넬슨의 면접을 진행할 예정인데, 30분이 더 필요할 것 같습니다. 면접 시간 연장이 가능할까요?

사실, 10시 30분에 예정되었던 면접이 취소되었습니다. 따라서 면접 시간 연장이 가능합니다.

TIP 템플릿을 이용해서 취소 정보를 설명한 뒤, 질문에 사용된 표현을 이용해서 추가 문장을 만듭니다.

Q I know we've had some good employees from Wilson University. We don't have any applicants from Wilson, right?

A I'm sorry, but you have the wrong information. _____.

윌슨 대학을 나온 좋은 직원들이 있는 것으로 알고 있습니다. 윌슨 대학 출신 지원자는 없는거죠, 그렇죠?

죄송하지만, 잘못 알고 계십니다. 스티브 존스가 윌슨 대학을 졸업했습니다.

Question 10 빈출 유형

동일한 직위에 지원한 사람들의 면접에 대해 설명하는 유형이 주로 출제됩니다.

Q Could you please tell me the details about applicants who applied for the managerial positions?

A There are two scheduled interviews.

First, you will interview _____.

She graduated _____.

Second, there will be _____.

She _____.

관리직에 지원한 지원자들에 대해서 자세히 알려주시겠어요?

2개의 면접 일정이 있습니다. 첫째로, 당신은 연구 관리자 직위에 지원하는 쉐린 리를 9시 30분에 면접 볼 것입니다. 그녀는 레이크 하트 대학교를 졸업했습니다. 둘째로, 영업 관리자 직위에 지원하는 베키 커리의 면접이 2시에 있습니다. 그녀는 사우스 탬파 대학교에서 공부했습니다.

TIP 면접 시간, 지원자 이름, 직위 외에 지원자의 출신 학교를 추가로 설명해주세요.
이와 같은 추가 정보는 템플릿에 포함시키지 말고 독립된 문장으로 말해주어야 쉽게 답변할 수 있습니다.

■ 템플릿 [정답 및 해설] p.39-40

템플릿 12 강의 일정

🔊 MP3 4_11

학원 강의 시간표, 피트니스 프로그램 일정 등 다양한 종류의 강의 일정을 보며 대답하는 유형입니다.

Rochester Fitness Center			
November Group Exercise Classes (November 4 - 30)			
Registration Deadline: November 2nd **Q8**			

CLASS	DAY	TIME	INSTRUCTOR
Spinning	Mondays	6-7 P.M.	Craig Hanson
Circuit Training	Tuesdays	6-7 P.M.	Annie Wall **Q10**
Free Weight Lifting	Wednesdays	7:30-8:30 P.M.	–
Fitness Aerobics	Thursdays	6-7 P.M.	Annie Wall **Q10**
Dance for Fitness	Fridays	8-9 P.M.	–

Members: Free,   Nonmembers: $60 per class **Q9**

📖 표 해석 - 정답 및 해설 p.41

유형의 특징

• 강의 일정에 관한 질문에 답변하는 유형

준비 시간 전략

• 강의 일정표는 강사의 이름이 포함된 유형과 그렇지 않은 유형으로 나뉩니다. 준비 시간이 시작되면 먼저 강사 이름이 있는지 확인해 주세요. 그 후, 등록 마감일, 등록 비용 등 주의해야 할 정보가 있는지 찾아보세요.

문제 유형

Q8   수업 시작일, 등록 마감일, 등록 비용에 대해서 묻는 문제가 주로 출제됩니다.
예 수업은 며칠에 시작하며, 언제까지 등록해야 하나요?

Q9   표 하단에 위치한 유의사항에 대해 묻거나 표의 내용 중 잘못된 정보를 묻는 문제가 주로 출제됩니다.
예 회원이 아닌 사람에게도 수업이 무료로 제공되는 것이 맞나요?

Q10   특정 시간대의 수업 설명, 동일한 강사의 수업 설명, 강의명이 동일한 수업 설명을 해야 하는 문제가 주로 출제됩니다.
예 저는 애니 월 강사가 진행하는 수업에 관심이 있습니다. 그녀가 어떤 수업을 진행하나요?

Q8, 9 기본 정보 설명

- **수업 일정 설명**

프로그램 will begin/will be held + 시간 및 장소 정보   시간/장소에서 (프로그램)이 시작할/열릴 것입니다

- **등록 마감일 설명**

You need to register by + 등록 마감일   ~까지 등록해야 합니다

- **비용 정보 설명**

It is 금액 if you + 동사 원형   만일 (동사)하면 비용이 ~입니다

특징	위의 세 정보 중 한 가지, 혹은 두 가지를 함께 질문합니다.
답변 예시	The classes will begin on November 4th and you need to register by November 2nd. 수업은 11월 4일에 시작하며 11월 2일까지 등록해야 합니다. It is free if you are a member. However, it is $60 per class if you are a nonmember. 회원이시면 무료입니다. 하지만, 회원이 아니라면 수업당 60달러입니다.

Q10 강의 일정 세부 사항 설명

- **강사 이름이 포함되지 않은 항목**

You can take a 과목명 class + 날짜 및 시각   (과목명)을 ~에 수강할 수 있습니다

과목명 is scheduled + 날짜 및 시각   (과목명)이 ~에 예정되어 있습니다

- **강사 이름이 포함된 항목**

강사 will teach a class on 과목명 + 날짜 및 시각   (강사)가 (과목명)을 ~에 가르칠 예정입니다

과목명 will be conducted by 강사 + 날짜 및 시각   (과목명)이 (강사)로부터 ~에 진행될 예정입니다

특징	강사명, 강의 주제 등 공통점을 가진 항목을 설명합니다. 같은 표현을 반복하지 않도록 해주세요.
답변 예시	You can take a free weight lifting class on Wednesdays from 7:30 to 8:30 P.M. 매주 수요일 저녁 7시 30분부터 8시 30분까지 자유 근력 운동 수업을 수강할 수 있습니다. Dance for Fitness is scheduled on Fridays from 8 to 9 P.M. 피트니스 댄스 수업이 매주 금요일 오후 8시부터 9시까지 예정되어 있습니다. **TIP** 답변 시간이 부족하면 전치사 at을 사용해서 강의 시작 시간만 말해주세요. Annie Wall will teach a class on circuit training on Tuesdays from 6 to 7 P.M. 애니 월이 매주 화요일 오후 6시부터 7시까지 순환 운동 수업을 가르칠 것입니다. Fitness Aerobics will be conducted by her on Thursdays from 6 to 7 P.M. 피트니스 에어로빅 수업이 매주 목요일 오후 6시부터 7시까지 그녀로부터 진행될 것입니다. **TIP** 대명사 her를 사용해서 이름의 반복을 피했습니다.

학습한 템플릿을 이용해서 질문을 듣고 답변을 완성해보세요.

Watford Art Center

Class dates: June 15 – August 20
Cost: $300/class ($350 for Saturday classes)

Class	Date	Time
Pencil drawing	Mondays	1 p.m. – 4 p.m.
Photo-editing computer software	Tuesdays	9 a.m. – 11 a.m.
Clay sculpture techniques	Thursdays	Noon – 2 p.m.
Water color painting	Fridays	1 p.m. – 4 p.m.
Computer animation basics	Saturdays	10 a.m. - Noon
Oil painting	Sundays	Noon – 3 p.m.

* Deadline for registration: June 3

Narration

Hello, I'm interested in your art center classes. I'd like to get some information about it. Could you help me out with that?

안녕하세요, 저는 아트 센터 수업 과정에 관심이 있습니다. 이에 대한 정보를 좀 얻을 수 있을까요?

Question 8 빈출 유형

수업 시작일, 등록 마감일, 등록 비용에 대해서 묻는 문제가 주로 출제됩니다.

Q   When do the classes begin and when is the deadline for registration?

A   The classes will begin _____ and you need to register by _____.

수업은 언제 시작하며, 등록 마감일은 언제인가요?

수업은 6월 15일에 시작하며, 6월 3일까지 등록해야 합니다.

Question 9 빈출 유형

표 하단에 위치한 정보에 대해 묻거나 잘못된 정보를 정정하는 문제가 주로 출제됩니다.

Q I heard that the cost of each class is $300. Right?

A I'm sorry, but you have the wrong information. It is _____.

각 수업의 강의료가 300달러라고 들었어요. 맞나요?

죄송하지만, 잘못 알고 계십니다. 토요일 강의는 350달러입니다.

Q I heard an oil painting class will be held on Saturday mornings. Right?

A I'm sorry, but you have the wrong information.

_____ will be held _____.

유화 수업이 토요일 오전에 열린다고 들었어요. 맞나요?

죄송하지만, 잘못 알고 계십니다. 유화 수업은 일요일 오후에 열립니다.

Question 10 빈출 유형

특정 시간대의 수업이나 유사한 주제의 수업을 설명하는 문제가 주로 출제됩니다.

Q I'm interested in art classes that use computers.

Could you give me all the details of the classes that involve computers?

A There are two scheduled classes.

First, _____.

Second, _____.

저는 컴퓨터를 사용하는 미술 수업에 관심이 있습니다. 컴퓨터와 관련된 모든 수업의 세부 사항을 말해 주시겠어요?

2개의 예정된 수업이 있습니다. 첫째로, 매주 화요일 오전 9시부터 11시까지 사진 편집용 컴퓨터 소프트웨어 수업을 들을 수 있습니다. 둘째로, 컴퓨터 애니메이션 기본반 수업이 매주 토요일 오전 10시부터 정오까지 예정되어 있습니다.

■ 템플릿 (정답 및 해설) p.41-42

출제 비중이 제일 큰 두 유형의 고난도 문제를 연습해보겠습니다.

행사 일정 고난도 문항

1 계획의 가능 여부를 묻는 유형

자신의 계획이 일정상 가능한지 묻는 유형으로, 조동사(can, will) 혹은 be동사(is)로 질문을 시작합니다. 질문자는 대개 자신이 원하는 바를 이룰 수 있으며, 그 이유를 찾아서 설명하는 것이 중요합니다.

> **Q** I need to make an important call at 2 o'clock. Will that be a problem?
> 제가 2시에 중요한 통화를 해야 합니다. 일정상 문제가 있을까요?
>
> 2:00 P.M. – 2:30 P.M.   Afternoon Tea Break
>
> **A** Fortunately, there is **an afternoon tea break from 2 to 2:30 P.M.**
> So, you can **make the call then.**
> 다행히도, 2시부터 2시 30분까지 오후 휴식 시간이 있습니다. 그 때 통화하실 수 있습니다.

2 지각을 하거나 조퇴를 하는 경우

사정상 지각 혹은 조퇴를 하게 되어 어떤 세션을 놓치게 되는지를 문의하며, 대부분의 경우 질문자가 물어본 시간보다 일정이 먼저 끝나거나 늦게 시작합니다. 따라서 놓치는 것이 없다고 설명한 뒤, 그 이유를 추가로 설명해주세요.

> **Q** I'm afraid I have to leave the conference at four. Can you tell me what programs I will miss?
> 아쉽게도 저는 4시에 떠나야 합니다. 제가 어떤 프로그램을 놓치게 되는지 알려주시겠어요?
>
> **California Restaurant Association Conference**
> **Saturday, June 17, 9:00 A.M. – 3:00 P.M.**
> **South Park Hotel, Montville**
>
> **A** Fortunately, you will not miss anything. **The conference will finish at 3 P.M.**
> 다행히도, 아무런 프로그램도 놓치지 않을 것입니다. 컨퍼런스는 오후 3시에 끝날 예정입니다.

개인 일정 고난도 문항

1 시간 연장을 요청하는 유형

특정한 목적을 위해 시간 연장을 요청하는 유형입니다. 가능한 시간대와 그 이유를 설명해주세요.

> **Q** I still need more time to prepare handouts for the shareholders meeting. Do I have any free time in the afternoon before the meeting starts?
> 저는 주주총회를 위한 인쇄물을 준비할 시간이 더 필요합니다. 오후 회의 시작 전에 시간이 있을까요?
>
> 1:00 pm~2:00 pm ~~Weekly Meeting (Marketing Department)~~
> Canceled
> 2:00 pm~4:00 pm   Interview, Patrick Johns (Software engineer)
> 4:00 pm~5:00 pm   Shareholders Meeting
>
> **A** Fortunately, you have some free time from 1 to 2 P.M. because a weekly meeting has been canceled.
> 다행히도, 주간 회의가 취소되었기 때문에 오후 1시부터 2시까지 자유 시간이 있습니다.

2 일정의 추가를 요청하는 유형

일정 추가 가능 여부를 문의하지만, 해당 일정은 이미 스케줄에 포함되어 있습니다.

> **Q** I'd like to review the marketing brochures. Can you add that to my schedule today?
> 저는 마케팅 책자를 검토하고 싶습니다. 오늘 제 일정에 이것을 포함해 주실 수 있나요?
>
> 2:30 pm – 3:30 pm   Review: marketing brochure draft
>
> **A** Actually, the review is already included in the schedule at 2:30 P.M.
> 사실, 마케팅 책자 검토는 이미 오후 2시 30분에 예정되어 있습니다.

Questions 8-10 실전 연습

45초간 표를 읽은 뒤, 준비 시간과 답변 시간을 지켜 질문에 답변해보세요.

MP3 4_13

TOEIC Speaking — Questions 8-10 of 11

Wembley Teaching Conference
Rose Hill Hotel
Saturday, May 4th

Saturday Morning Sessions 10 A.M – 12 P.M. (3 options)

A. Keynote Speech (Association President, Alice Cameron)	Hall A
B. How to Deal with Classroom Difficulties (Vice President, Fred Jackson)	Hall C
C. Experiment Safety Policies (Walter Baker)	Hall D

Saturday Afternoon Sessions 2 P.M. – 4 P.M. (3 options)

A. Time Management (Kelly White)	Hall A
B. Tools and Facilities for Experimentation (Jonathan Green)	Hall C
C. Enhancing Teacher's Ability (Association President, Alice Cameron)	Hall D

* Participants must select one morning and one afternoon session upon registration.

Question 8   준비시간: 3초 / 답변시간: 15초

Question 9   준비시간: 3초 / 답변시간: 15초

Question 10   준비시간: 3초 / 답변시간: 30초

148 15개 템플릿으로 끝내는 토익스피킹 필수 전략서   정답 및 해설 p.43

2 🔊 MP3 4_14

Itinerary of Anna Felton
General Manager of Rainforest Foundation

Monday, Sep 31

8:15 A.M.	Depart Seattle (Jetlite Airways, Flight #161)
10:30 A.M.	Arrive Portland (Pickup: company car)
Noon	Lunch with Luke Williams

Tuesday, Oct 1 — **Environmental Law Conference**

9:00-10:00 A.M.	Welcome breakfast
10:30 A.M.-12:00 P.M.	Workshop (Understanding Government Policies)
2:00-3:30 P.M.	Deliver Lecture (Water Purification Technology)

Wednesday, Oct 2

9:00 A.M.	Depart Portland (Jetlite Airways, Flight #122)
11:20 A.M.	Arrive Seattle

Questions 8-10

Question 8   준비시간: 3초 / 답변시간: 15초

🎙 _____

_____

Question 9   준비시간: 3초 / 답변시간: 15초

🎙 _____

_____

Question 10   준비시간: 3초 / 답변시간: 30초

🎙 _____

_____

🔊 정답및해설 p.44

3 🔊MP3 4_15

TOEIC Speaking	Questions 8-10 of 11

Alison McHenry

Desired Position Record Review Magazine Staff Writer

Work History

Wall Tunes Magazine - music reviewer (2018~present)
Jasper Weekly - assistant copy editor (2017~2018)

Education Bachelor's degree in journalism (Colden College, 2017)

Other Skills Fluent in Spanish, Intermediate French

Certificates Professional web design
(awarded by National News Association)

Question 8   준비시간: 3초 / 답변시간: 15초

🎤 _____

_____

Question 9   준비시간: 3초 / 답변시간: 15초

🎤 _____

_____

Question 10   준비시간: 3초 / 답변시간: 30초

🎤 _____

_____

📖 정답 및 해설 p.45

Law for All

Job Interview schedule - Tuesday Oct 7th

Time	Applicant	Position	Qualifications
9:45 A.M.	Gary Maxwell	Receptionist	3rd year law student
10:30 A.M.	Janet Allen	Legal assistant	Master's Degree (law)
11:45 A.M.	~~Karen Wilson~~	~~Lawyer~~	~~2 years' experience~~ *Canceled*
1:00 P.M.	Kane Smith	Legal assistant	2 years' experience
2:15 P.M.	Sara Travis	Lawyer	2 years' experience
3:00 P.M.	Nicole Walker	Receptionist	4 years' experience

Question 8　준비시간: 3초 / 답변시간: 15초

🎤 _____

_____

Question 9　준비시간: 3초 / 답변시간: 15초

🎤 _____

_____

Question 10　준비시간: 3초 / 답변시간: 30초

🎤 _____

_____

정답 및 해설　p.46

Carter Business College Evening Classes

Spring Session: March 13 – May 12
Location: Main Hall
Registration fee: $200 per course ($250 for weekend courses)

Class	Schedule	Instructor
Funding Your Business	Mondays 6-8 P.M.	Erin Benson
Tax Return: Understanding the Basics	Tuesdays 1-3 P.M.	Cassandra Bradshaw
Understanding Commercial Credit	Wednesdays 6-8 P.M.	Troy Dickson
Business Expansion Plans	Thursdays 6-8 P.M.	Helena Shepherd
Launching New Products & Services	Fridays 2-4 P.M.	Britney Williams
Strategies to Begin New Business	~~Saturdays 6-8 P.M.~~ Fridays 6-8 P.M.	Courtney Hunt

Question 8   준비시간: 3초 / 답변시간: 15초

🎤 _____

_____

Question 9   준비시간: 3초 / 답변시간: 15초

🎤 _____

_____

Question 10   준비시간: 3초 / 답변시간: 30초

🎤 _____

_____

정답 및 해설 p.47

8-10번 문제 고득점에 도움이 되는 팁을 소개합니다.

Q 어떤 경우에 부정관사 a를 사용하나요?

A 가산명사인 프로그램 앞에는 부정관사 a를 붙여서 말해주세요. 자주 등장하는 가산명사로는 a presentation, a discussion, a Q&A session, a workshop 등이 있습니다.

4:30 P.M. – 5:30 P.M.	Workshop: Marketing New Products

There will be a workshop on marketing new products at 4:30 P.M.
오후 4시 30분에 신제품 마케팅에 관한 워크샵이 있을 것입니다.

Q 어떤 경우에 정관사 the를 사용하나요?

A 호텔, 컨퍼런스 센터, 사람의 직급, 회사 내 부서 앞에는 정관사 the를 붙여주세요.

The Hill Top Hotel	The Grand Conference Center	The sales manager	The sales department
호텔	컨퍼런스 센터	직급	부서

Q 한정사 another은 어떤 경우에 쓰나요?

A 10번 문제의 답변 중 반복해서 사용되는 명사의 앞에 한정사 another를 붙여주세요.

Q Can you tell me all the details about the workshops?

A There are two scheduled workshops.

First, a workshop on international trade law is scheduled at 10 A.M.

Second, there will be another workshop on international legal disputes.

Q 시간 정보를 설명할 때 유의할 점이 있나요?

A · 시간을 설명하는 from A to B 구문에서 A.M. 혹은 P.M.은 B 자리에 한 번만 사용해주세요.
· from 2 to 4 P.M. 에서는 숫자 2와 4를 전치사 to보다 강하게 읽어주세요.
· 답변 시간이 부족한 경우 at + 시작 시간만 말해줘도 고득점을 받을 수 있습니다.

Q 처음 보는 어려운 고유명사가 나오면 어떻게 하나요?

A 지역, 브랜드, 사람 이름 등 발음이 어려운 고유명사가 표에 자주 등장합니다. 잘못 읽어도 점수에 큰 영향은 없으니 자신 있게 읽어주세요.

중요 표현 정리

🔊 MP3 4_18

유형별로 자주 출제되는 어휘를 모았습니다. 빨간색으로 표기된 부분에 강세를 두어 반복해서 읽어주세요.

행사 일정

assignment	배정, 배치	employer	고용주
competition	경쟁, 대회	financial	재정적인
conference	컨퍼런스	invitation	초청
convention	대회	presentation	프레젠테이션
corporation	기업	presenter	발표자
council	의회	registration	등록
demonstration	시연	regulation	규정
employee	직원	resources	자원, 재원

개인 일정

accommodation	숙소	discussion	토론
agenda	회의 안건	enterprise	기업
appointment	약속	headquarters	본사
banquet	연회	itinerary	일정표
branch	지사	representative	대표자
confirm	확정하다	review	리뷰

이력서

associate	보조 직원	diploma	수료증
association	협회	educational	교육적인
bachelor	학사	fluency	유창성
career	경력	fluent	유창한
certification	증명서	international	국제적인
certified	공인된	qualification	자격
certificate	자격증	résumé	이력서
desired	희망하는		

면접 일정

administrator	관리자	experience	경험
applicant	지원자	human resources	인사부
application	신청, 신청서	interviewer	면접관
assistant	조수, 보조원	position	직위
candidate	후보자	receptionist	접수 담당자
department	부서	specialist	전문가

강의 일정

advanced	고급의	instructor	강사
available	이용 가능한	intermediate	중급의
beginner	초보자	introduction	도입, 소개
classes	수업	monthly	월간
courses	교육과정	postponed	연기된

Question
11

Express an opinion
의견 제시하기

기초 다지기

문제 구성

문제 번호	준비 시간	답변 시간	배점
1문제 (11번)	45초	60초	5점

시험 진행 순서

TOEIC Speaking

Question 11: Express an opinion

Directions : In this part of the test, you will give your opinion about a specific topic. Be sure to say as much as you can in the time allowed. You will have 45 seconds to prepare. Then you will have 60 seconds to speak.

① 시험 안내문

문제 진행 방식을 설명하는 안내문을 화면에 보여준 뒤 이를 음성으로 들려줍니다.

TOEIC Speaking   **Question 11 of 11**

For business leaders, which of the following quality is the most important for their success?

- Time management skills
- Communication skills
- Financial planning skills

PREPARATION TIME
00:00:45

② 준비 시간

화면에 질문이 등장하며 이를 음성으로 읽어줍니다. 그 후 준비 시간이 45초 주어집니다.

TIP 문제는 화면에 계속 표기됩니다.

TOEIC Speaking   **Question 11 of 11**

For business leaders, which of the following quality is the most important for their success?

- Time management skills
- Communication skills
- Financial planning skills

RESPONSE TIME
00:01:00

③ 답변 시간

그 후 답변 시간이 60초 주어집니다.

출제 경향

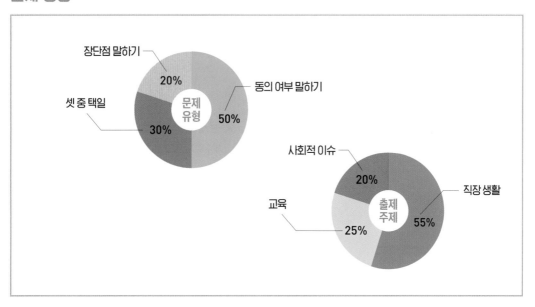

출제 유형

시험에 자주 등장하는 주제와 문제 예시를 살펴보겠습니다.

주제	문제	문제 예시
직장 생활	업무 방식	업무 시 마감 기한을 정해두는 것의 장점은 무엇인가? 혼자 일하는 것과 팀원들과 함께 일하는 것 중 무엇을 선호하는가?
	업무 자질	다음 중 좋은 매니저가 되기 위해 가장 중요한 능력은 무엇인가? – 문제 해결 능력 – 의사소통 능력 – 시간관리 능력
교육	대학생	대학교가 어떤 시설에 더 많은 투자를 해야 하는가? – 연구실 – 기숙사 – 도서관
	고등학생	고등학생들이 자신의 교과과정을 직접 만들도록 허용해야 하는가?
	초등학생	초등학생들이 방과 후 시간을 보내기 위한 가장 좋은 방법은 무엇인가? – 학원 가기 – 봉사활동 참여하기 – 친구들과 어울리기
사회적 이슈	기술	기술의 발전으로 인해 사람들이 더 자주 소통하게 되었다는 것에 동의하는가?
	환경	정부는 친환경 제품을 생산하는 회사에 더 많은 보상을 해줘야 하는가?
	미디어	TV나 신문과 비교해서 온라인으로 뉴스를 보는 것의 장점은 무엇인가?

Question 11

준비 시간 활용법

11번 문제에서는 질문에 논리적으로 답변하는 것이 중요합니다. 준비시간 동안 답변 아이디어를 준비해두세요.

TOEIC Speaking

Question 11: Express an opinion

Directions : In this part of the test, you will give your opinion about a specific topic. Be sure to say as much as you can in the time allowed. You will have 45 seconds to prepare. Then you will have 60 seconds to speak.

① 안내문을 읽어주는 동안

11번 문제의 안내문을 읽어주는 동안 노트테이킹 준비를 해주세요.

TOEIC Speaking **Question 11 of 11**

For business leaders, which of the following quality is the most important for their success?

- Time management skills
- Communication skills
- Financial planning skills

PREPARATION TIME
00:00:45

② 문제를 읽어주는 동안

서두르지 말고 천천히 문제를 읽어주세요. 내용이 이해되지 않으면 당황하지 말고 문제를 다시 읽어주세요.

TOEIC Speaking **Question 11 of 11**

For business leaders, which of the following quality is the most important for their success?

- Time management skills
- Communication skills
- Financial planning skills

PREPARATION TIME
00:00:45

③ 준비 시간 45초

답변 아이디어를 준비하세요. 평소에 다양한 방식으로 노트테이킹을 해보면서 나만의 필기 전략을 세우는 것이 중요합니다. 11번 문제에 익숙해지기 전까지는 한글로 아이디어를 만드는 것을 권장합니다.

목표 레벨별 학습전략

130-150점 목표

· 다양한 문제를 신속하고 정확히 해석하는 연습을 해주세요.

· 학습 초반에는 답변 아이디어를 한글로 준비하세요. 또, 영작할 것을 고려해서 간결하고 짧은 한글 문장을 만들어주세요. 꾸준한 아이디어 연습이 매우 중요합니다.

· 익숙한 표현을 이용해서 답변을 만들어주세요. 단기간에 시험을 준비하는 경우 새로운 표현을 익히는 것보다 이미 알고 있는 표현을 적재적소에 활용하는 것이 더 중요합니다.

· 준비 시간과 답변 시간을 지켜서 연습해주세요.

160점 이상 목표

· 130-150점 목표 전략을 학습해주세요.

· 답변을 녹음해서 들어보며 부족한 부분을 스스로 찾아보세요.

· 녹음한 답변을 적어본 뒤, 답변 아이디어가 질문의 의도에 부합하는지 검토해보세요.

· 작성한 답변을 더 구체적으로 만드는 연습을 해주세요.

  ㉾ 컴퓨터 프로그램 → 워드, 엑셀같은 업무용 컴퓨터 프로그램

Question 11

(고득점 포인트)

답변 외우지 않기

현장에서 강의를 하다 보면 기출 문제의 답변을 외우는 학생들을 흔하게 볼 수 있습니다. 하지만 한번 출제된 문제가 그대로 다시 나올 확률은 거의 없습니다. 따라서 요행을 바라기 보다 학습한 템플릿을 이용해서 혼자 힘으로 답변을 만들어 봐야 합니다.

점수별 답변 분석

아래 문제에 직접 답변해 본 뒤, 학생들의 점수별 실제 답변과 제이크쌤의 답변 피드백을 QR 코드로 확인해보세요.

> Do you agree or disagree with the following statement?
> *It is very useful to visit a company's website to get information about a product before you purchase it.*
>
> 다음의 의견에 동의하나요, 반대하나요?
> *제품을 구매하기 전 제조사의 웹사이트를 방문하는 것은 매우 유용하다.*

3점 답변 피드백

I disagree with the following statement that it is very useful to visit a company's website to get information about a product before you purchase it. Here are some reasons for support my opinion.	◎ 질문의 표현을 이용해서 첫 문장을 만들어 주었습니다. ✕ 도입부가 너무 길고, 답변에 문법 실수가 있습니다. (you → I, for → to)
First, it is impossible to get correct information. Usually, company want to sell more products. So, advertisement is not correct usually.	◎ 너무 강한 의미의 어휘를 사용했지만 답변 의도를 이해하는데 큰 문제는 없습니다. ✕ 동사의 활용이나 수 일치에 문법 실수가 있습니다. (want → wants, advertisement is → the advertisements are)
Second, they only concentrate beautiful website. So, this leads to bad results.	◎ 두 번째 이유의 의미가 다소 애매하지만 의도를 전달하는데 큰 문제는 없습니다. ✕ 주어가 누구인지 불분명하고 문법 실수가 있습니다. (concentrate → concentrate on) ✕ 나쁜 결과라는 추상적인 표현보다 더 구체적인 예를 드는 것이 좋습니다.
Therefore, I disagree with the following statement.	◎ 답변을 시간 안에 마무리했습니다.

> **제이크쌤 총평**
> ▸ 답변이 중간에 자주 끊기며 표현과 문법의 사용에 부자연스러운 부분이 있지만, 답변자의 의도를 이해하는데 큰 어려움이 없습니다.
> ▸ 답변을 조금 더 구체적으로 만들 필요가 있습니다.

I disagree that it is very useful to visit a company's website to get information about a product before I purchase it.	⊙ 질문의 표현을 이용해서 첫 문장을 만들어 주었습니다.
Most of all, there are a lot of exaggerated information on company's websites.	⊙ 선정한 입장에 대한 이유를 설명해주었습니다. ⊗ 문법 실수가 있습니다. (are → is)
About 6 months ago, I bought a smartphone after checking information on the official website. The smartphone looked very luxurious and beautiful on the website. However, when I received the phone, it looked like a toy. I think they used a program called Photoshop to modify the pictures. So, I got disappointed a lot and I gave it to my brother.	⊙ 자신의 경험을 바탕으로 한 구체적인 사례를 들어 주었습니다. ⊙ 짧고 간결한 문장을 이용해서 명확한 의미의 문장을 만들었습니다. ⊙ 답변의 구성이 논리적이어서 말하고자 하는 바가 잘 전달되고 있습니다. 또한, 주장에 대한 적절한 예시를 사용했습니다.
Therefore, I disagree that it is very useful to visit a company's website to get information about a product.	⊙ 답변을 시간 안에 마무리했습니다.

Question 11

제이크쌤 총평
▸ 답변 내용의 전개가 자연스럽습니다.
▸ 다양한 문법요소를 활용해서 답변을 구체적으로 만들어 주었습니다.
▸ 문법 실수가 있었지만, 그것이 고득점 획득에 큰 영향을 주지는 않습니다.

문제 유형

동의 여부 말하기

제시된 주제에 동의하는지 반대하는지를 설명하는 유형입니다.

I agree(disagree) that 까지 말해준 뒤, 이탤릭체로 된 주제문을 읽으며 답변을 시작합니다.

Q Do you agree or disagree with the following statement?
People get more satisfaction from receiving a high salary than from doing what they like.

A I agree/disagree that people get more satisfaction from receiving a high salary than from doing what they like.

저는 사람들이 자신이 좋아하는 일을 하는 것보다 높은 급여를 받는 데서 더 큰 만족을 얻는다는 것에 동의합니다/반대합니다.

셋 중 택일

두 개나 세 가지 선택지 중 하나를 선택해서 답변하는 유형입니다.

I think + 주어(선택지) + 동사(질문의 동사)로 답변을 시작합니다.

Q What is the best way for young students to spend time after school?
- Studying at an institute   - Reading books   - Hanging out with friends

A I think [studying at an institute / reading books / hanging out with friends] is the best way for young students to spend time after school.

저는 [학원에서 공부를 하는 것이 / 책을 읽는 것이 / 친구들과 어울리는 것이] 어린 학생들이 방과 후에 시간을 보내기에 가장 좋은 방법이라고 생각합니다.

장단점 말하기

제시된 주제의 장점 혹은 단점에 대해 설명하는 유형입니다.

There are some advantages/disadvantages of (질문 표현) 으로 답변을 시작합니다.

Q What are the advantages of working with colleagues rather than working alone?

A There are some advantages of working with colleagues rather than working alone.

혼자 일하는 것보다 동료들과 함께 일하는 것에는 몇 가지 장점이 있습니다.

답변 구성

> Do you agree or disagree with the following statement?
>
> *Living with parents while attending college has more advantages than disadvantages.*
>
> Use specific reasons and examples to support your opinion.
>
> 다음의 의견에 동의하나요, 반대하나요?
>
> *대학에 다니는 동안 부모님과 함께 사는 것은 단점보다 장점이 더 많다.*
>
> 구체적인 이유와 예시를 들어 의견을 뒷받침하세요.

입장 결정 ➡ 이유 설명 ➡ 예시 설명 ➡ 마무리

입장 결정	질문의 표현을 이용해서 시작 문장을 만듭니다. I agree that <u>living with parents while attending college has more advantages than disadvantages</u>. 질문 표현 활용하기 저는 대학에 다니는 동안 부모님과 함께 사는 것에는 단점보다 장점이 더 많다는 데 동의합니다.
이유 설명	선택한 입장에 대한 이유를 한 문장으로 설명합니다. Most of all, (무엇보다도)를 이용해서 이유 문장을 시작하세요. 이유 문장의 주어로는 1인칭(I) 대신 2,3인칭(we, they, it) 주어를 사용하세요. 이유 문장 제작에 사용되는 대표 구문을 이용해서 더 쉽게 답변할 수 있습니다. · can + 동사 　　　　　~ 할 수 있다 · it is + 형용사 + to 동사 　~ 하는 것이 (형용사)하다 · there is/are + 명사 　　~ 가 있다 **TIP** 이 외에도 need to + (동사), don't have to + (동사) 구문도 사용할 수 있습니다. Most of all, we can have a healthy lifestyle. 무엇보다도, 건강한 생활 습관을 가질 수 있습니다.

앞서 말한 이유를 뒷받침하기 위한 자신이나 지인의 구체적 경험담을 3-4문장으로 설명합니다. 답변의 사실 여부는 중요하지 않으므로, 답변하기 수월한 방향으로 예시를 만드는 것이 고득점에 유리합니다. 아래의 표현들을 사용해서 예시 문장을 시작해주세요.

예시 설명

- **자신의 경험**

  When I was a 명사,   내가 (명사)이었을 때,

  TIP 자주 사용되는 명사: new employee, university student

  About 시간 **ago,**   약 (시간) 전에,

  TIP 자주 사용되는 시간 표현: about two years ago, about six months ago

- **지인의 경험**

  In the case of my 명사, (명사)의 경우

  TIP 자주 사용되는 명사: best friend, supervisor, coworker, parents

다음의 요소를 이용해서 더 구체적인 예시 문장을 만들 수 있습니다. 두 개 이상의 아이디어를 합쳐도 좋습니다.

About two years ago,
I studied Chinese.
약 2년 전에,
저는 중국어를 공부했습니다.

+

빈도	once a week	일주일에 한 번
사람	with my coworkers	직장 동료와 함께
시점	after work	퇴근 후
목적	to get a promotion	승진을 하기 위해
장소	at a language school	외국어 학원에서

When I was a university student, I lived alone near my school. 장소
제가 대학생일 때, 저는 학교 근처에서 혼자 살았습니다.

While living alone, I had fast food for late dinner almost every day 빈도
혼자 사는 동안, 저는 늦은 저녁으로 패스트푸드를 거의 매일 먹었고

and I gained a lot of weight.
살이 많이 쪘습니다.

So, I moved back to my parents' house after 1 year. 시점
그래서, 저는 1년 뒤 부모님 집으로 다시 돌아갔습니다.

As a result, I was always able to have healthy meals my mother cooked for me and I lost 5kg of weight.
그 결과, 저는 항상 어머니가 만들어 주신 건강한 식사를 할 수 있었고, 살이 5킬로그램 빠졌습니다.

| 마무리 | 다시 한번 자신의 입장을 설명하며 답변을 마무리합니다. 문장 앞에 therefore를 붙여주세요. |
| | Therefore, I agree that living with parents while attending college has more advantages than disadvantages.

따라서, 저는 대학에 다니는 동안 부모님과 함께 사는 것에는 단점보다 장점이 더 많다는 데 동의합니다.

TIP 답변 시간이 부족한 경우 마무리 문장을 생략해주세요. |

고득점 포인트

Question 7 vs Question 11 답변 순서 비교
7번 문제와 11번 문제의 답변 순서는 서로 비슷합니다. 두 문제의 답변 방식이 어떻게 다른지 알아두세요.

Question 7
질문의 표현을 이용해 입장을 만든 뒤, 이를 뒷받침하는 이유 2가지를 설명합니다.

Question 11
7번 문제와 동일한 방식으로 입장을 만든 뒤, 이유 1개와 이를 보강하는 경험담 및 사례를 구체적으로 설명합니다.

템플릿 학습

템플릿 13 긍정적 사례 소개

시간과 과정의 흐름에 따른 **긍정적 사례**를 설명하는 방식입니다.

입장 ➡ 이유 ➡ **예시**
배경 → 경과 → 긍정적 결과 ➡ 마무리

템플릿 14 부정적 사례 소개

시간과 과정의 흐름에 따른 **부정적 사례**를 설명하는 방식입니다.

입장 ➡ 이유 ➡ **예시**
배경 → 문제점 → 부정적 결과 ➡ 마무리

템플릿 15 과거와 현재 사례의 비교

과거와 현재의 차이점을 설명하는 방식으로, 과거에 비해 달라진 긍정적 결과를 설명합니다.

입장 ➡ 이유 ➡ **예시**
과거 배경 → 문제점 →
현재 상황 → 긍정적 결과 ➡ 마무리

템플릿 13 긍정적 사례 소개   🔊 MP3 5_1

시간과 과정의 흐름에 따른 긍정적 사례를 배경 – 경과 – 긍정적 결과의 세 단계로 설명하는 방식입니다.

> What is the best way for young students to spend time after school?
> – Studying at an institute   – Reading books   – Hanging out with friends
> 어린 학생들이 방과 후에 시간을 보내기 위한 가장 좋은 방법은 무엇인가요?
> – 학원에서 공부하기 – 책 읽기 – 친구들과 어울리기

입장	I think hanging out with friends is the best way for young students to spend time after school. 저는 친구들과 어울리는 것이 어린 학생들이 방과 후에 시간을 보내기에 가장 좋은 방법이라고 생각합니다.
이유	이유 문장 제작을 위한 대표 구문 중 하나를 선택해서 입장에 대한 이유를 설명해주세요. Most of all, they can learn various social skills while hanging out with friends. 무엇보다도, 그들은 친구들과 어울리면서 다양한 사회성을 배울 수 있습니다. ■ 이유 문장 제작 대표 구문

예시	배경	묘사하려는 상황의 배경을 설명해주세요. (처한 상황, 주변 환경 및 인물 소개) When I was young, I often hung out with my friends in a playground. 제가 어렸을 때, 저는 친구들과 운동장에서 자주 어울려 놀았습니다.
	경과	그로 인해 발생한 점을 1~2가지 설명해주세요. While playing sports together, I learned how to communicate with others. Also, I learned how to cooperate with others. 함께 스포츠를 하면서, 저는 다른 사람들과 의사소통 하는 법을 배웠습니다. 또한, 저는 다른 사람들과 협력하는 법도 배웠습니다. **TIP** 경험을 구체적으로 설명하는 것이 중요합니다. ⓧ 나는 사회성을 배웠다 → ◎ 나는 사람들과 소통하는 법을 배웠다
	결과	이후의 긍정적 결과를 설명해주세요. As a result, I was able to get along with anyone and I made many friends at school. 그 결과, 저는 누구와도 잘 어울릴 수 있었으며 학교에서 많은 친구를 사귀었습니다. **TIP** 과거의 경험을 설명할 땐 동사의 시제에 유의하세요. 실수로 현재시제를 사용하는 분들이 많습니다.

Question 11

마무리	Therefore, I think hanging out with friends is the best way for young students to spend time after school. 따라서, 저는 친구들과 어울리는 것이 어린 학생들이 방과 후에 시간을 보내기에 가장 좋은 방법이라고 생각합니다.

연습 문제

🔊 MP3 5_2

학습한 템플릿을 사용해서 다음 질문에 답변해보세요.

> In the workplace, which of the following skills do you think is most important for a team leader?
> – Distributing tasks equally – Resolving conflict – Giving clear directions
> 직장에서 다음 중 어떤 능력이 팀장에게 가장 중요하다고 생각하나요?
> – 균등한 업무 배분 – 갈등 해결 – 명확한 지시 전달

입장		I think _____. 저는 명확한 지시를 전달하는 것이 팀장에게 가장 중요하다고 생각합니다.
이유		Most of all, it is _____. (helpful, concentrate on) 무엇보다도, 이것은 팀원들이 그들이 업무에 집중하는데 도움이 됩니다.
예시	배경	In the case of my team leader, _____. 제 팀장님의 경우, 그는 언제나 직원들에게 명확한 지시를 전달합니다. TIP 제 3자의 경험을 설명하는 경우, 배경에서는 지인을 간략히 소개해주세요.
	경과	So, _____. (understand). Also, _____. (start, faster). 그래서 이것은 우리가 프로젝트를 더 잘 이해하도록 도와줍니다. 또한, 우리는 다른 팀보다 더 빨리 프로젝트를 시작할 수 있습니다. TIP 영작에 어려움이 있다면 경과는 1개만 말해주세요.
	결과	As a result, _____. (meet the deadline) 그 결과, 우리 팀은 항상 마감기한을 지킵니다.
마무리		Therefore, I think _____. 따라서, 저는 명확한 지시를 전달하는 것이 팀장에게 가장 중요하다고 생각합니다.

TIP 직장 생활 관련 주제에는 자신이 경험해 본 것처럼 아이디어를 만들면 더 쉽게 예시 문장을 만들 수 있습니다.

📖 정답 및 해설 p.48

템플릿 14 부정적 사례 소개

시간과 과정의 흐름에 따른 부정적 사례를 배경 – 문제점 – 부정적 결과의 세 단계로 설명하는 방식입니다.

Do you agree or disagree with the following statement?

People get more satisfaction from receiving a high salary than from doing what they like.

다음의 의견에 동의하나요, 반대하나요?

사람들은 자신이 좋아하는 일을 하는 것보다 높은 봉급을 받는 데서 더 큰 만족을 얻는다.

입장		I disagree that people get more satisfaction from receiving a high salary than from doing what they like. 저는 사람들이 자신이 좋아하는 일을 하는 것보다 높은 급여를 받는 데서 더 큰 만족을 얻는다는 것에 반대합니다.
이유		이유 문장 제작을 위한 대표 구문 중 하나를 선택해서 입장에 대한 이유를 설명해주세요. **Most of all,** it is difficult to work **for a long time if we don't like our job.** 무엇보다도, 일을 좋아하지 않으면 오랫동안 일을 하기가 어렵습니다. <div align="right">■ 이유 문장 제작 대표 구문</div>
예시	**배경**	묘사하려는 상황의 배경을 설명해주세요. (처한 상황, 주변 환경 및 인물 소개) In the case of my best friend, she entered a famous IT company in Korea. So, she received a high salary. 제 가장 친한 친구의 경우, 그녀는 한국에서 유명한 IT 회사에 입사했습니다. 그래서 그녀는 높은 급여를 받았습니다. **TIP** 배경 문장을 만드는 방식은 13번과 14번 템플릿이 서로 동일합니다.
	문제점	발생한 문제점을 1~2가지 설명해주세요. However, she had difficulty in concentrating on the work because she was not interested in her work. 하지만, 그녀는 자신의 일에 흥미가 없었기 때문에 일에 집중하는데 어려움을 겪었습니다. **TIP** 영작이 어려우면 문제점은 한 가지만 말해주세요.
	결과	이후의 부정적 결과를 설명해주세요. As a result, she quit the job after 2 years despite the high salary. 그 결과, 그녀는 높은 급여에도 불구하고 2년 만에 퇴사했습니다.
마무리		Therefore, I disagree that people get more satisfaction from receiving a high salary than from doing what they like. 따라서, 저는 사람들이 자신이 좋아하는 일을 하는 것보다 높은 급여를 받는 데서 더 큰 만족을 얻는다는 것에 반대합니다.

Question 11

MP3   5_4

학습한 템플릿을 사용해서 다음 질문에 답변해보세요.

> Do you agree or disagree with the following statement?
> *The government should encourage more people to buy electric cars than it currently does.*
>
> 다음의 의견에 동의하나요, 반대하나요?
> *정부는 지금보다 더 많은 사람들이 전기 자동차를 구매하도록 장려해야 한다.*

입장		I disagree that _____. 저는 정부가 지금보다 더 많은 사람들이 전기 자동차를 구매하도록 장려해야 한다는 것에 반대합니다.
이유		Most of all, there are _____. (charging stations) 무엇보다도, 아직 도시 내에 전기 자동차 충전소가 많지 않습니다.
예시	배경	In the case of my best friend, he _____. 제 가장 친한 친구의 경우, 그는 약 2년 전에 전기 자동차를 구매했습니다.
	문제점	However, he always _____. (look for) So, he _____. (under stress) 하지만, 그는 전기차 충전소를 찾는 데 항상 어려움을 겪었습니다. 그래서, 그는 운전 중에 자주 스트레스를 받았습니다.
	결과	As a result, he _____ and he _____. (a gas-powered car) 그 결과, 그는 1년 뒤에 그 차를 팔았고 요즘에는 휘발유 자동차를 타고 다닙니다.
마무리		Therefore, _____. 따라서, 저는 정부가 지금보다 더 많은 사람들이 전기 자동차를 구매하도록 장려해야 한다는 것에 반대합니다.

정답 및 해설 p.49

과거와 현재 사례의 비교   🔊 MP3   5_5

과거와 현재의 차이점을 과거 배경 – 문제점 – 현재 상황 – 긍정적 결과의 네 단계로 설명하는 방식입니다.

> **What are the advantages of working with colleagues rather than working alone?**
> 혼자 일하는 것보다 동료들과 함께 일하는 것의 장점은 무엇인가요?

입장		There are some advantages of working with colleagues rather than working alone. 혼자 일하는 것보다 동료들과 함께 일하는 것에는 몇 가지 장점이 있습니다.
이유		이유 문장 제작을 위한 대표 구문 중 하나를 선택해서 입장에 대한 이유를 설명해주세요. Most of all, it is easier to find mistakes while working. 무엇보다도, 일을 하면서 실수를 발견하기 더 쉽습니다. ■ 이유 문장 제작 대표 구문
예시	**과거 배경**	묘사하려는 상황의 배경을 설명해주세요. (처한 상황, 주변 환경 및 인물 소개) About 3 years ago, I sometimes ran a project by myself at work. 약 3년 전에, 저는 회사에서 종종 혼자 프로젝트를 진행했습니다.
	문제점	발생한 문제점을 설명해주세요. So, I often made mistakes but it was difficult for me to find them. 그래서 저는 자주 실수를 했지만, 그것들을 찾기가 어려웠습니다. **TIP** • it is 형용사 to 동사 구문에서는 형용사 뒤에 for 대상 부분을 추가하여 구체적인 대상을 명시해줄 수 있습니다.
	현재 상황	과거와 상반되는 현재의 상황을 설명해주세요. But nowadays, I always work with many coworkers. 하지만 요즘은 항상 많은 동료들과 함께 일합니다. **TIP** 여기서부터 현재시제를 사용합니다.
	결과	그로 인한 긍정적 변화를 설명해주세요. As a result, it is easier to find and correct errors at work. 그 결과, 회사에서 잘못된 점을 찾아 수정하는 것이 더 쉽습니다.
마무리		Therefore, I think there are some advantages of working with colleagues rather than working alone. 따라서, 저는 혼자 일하는 것보다 동료들과 함께 일하는 것에는 몇 가지 장점이 있다고 생각합니다. **TIP** • 장단점을 묻는 유형은 Therefore, I think 뒤에 입장 문장을 한 번 더 말하며 마무리합니다. • 답변 시간이 부족하면 마무리 문장을 생략하세요.

Question 11

학습한 템플릿을 사용해서 다음 질문에 답변해보세요.

1

> What are the advantages of getting news online compared to from TV or a newspaper?
>
> TV나 신문과 비교해서 온라인으로 뉴스를 접하는 것의 장점은 무엇인가요?

입장		There are some _____. TV나 신문과 비교해서 온라인으로 뉴스를 접하는 것에는 몇 가지 장점이 있습니다.
이유		Most of all, we can _____. (quickly) 무엇보다, 우리는 신속하게 뉴스를 접할 수 있습니다.
예시	과거 배경	In the case of my parents, they _____. (in the past) 제 부모님의 경우, 그들은 과거에 뉴스를 접하기 위해 신문을 읽었습니다.
	문제점	So, they _____. (until the next morning) 그래서, 그들은 뉴스를 접하기 위해 다음날 아침까지 기다려야 했습니다.
	현재 상황	But nowadays, I always _____. (on my smartphone) 하지만 요즘에, 저는 항상 스마트폰을 이용해서 뉴스를 접합니다.
	결과	As a result, I _____. (don't have to) 그 결과, 저는 최신 뉴스를 기다릴 필요가 없습니다.
마무리		Therefore, I think _____. 따라서, TV나 신문과 비교해서 온라인으로 뉴스를 접하는 것이 좋은 아이디어라고 생각합니다. **TIP** 장단점을 묻는 유형에서는 I think it is a good idea to + 동사 구문을 이용해서 답변을 마무리할 수도 있습니다

2

Do you agree or disagree with the following statement?

In general, using the latest technology has improved how students study at home and school.

Give reasons or examples to support your opinion.

입장	질문의 표현을 이용해서 입장 문장을 만들어줍니다.
	I _____ .
이유	이유 문장 제작을 위한 대표 구문 중 하나를 선택해서 입장에 대한 이유를 설명해주세요.
	Most of all, _____ .
예시	학습한 템플릿 중 하나를 이용해서 예시를 설명해주세요.
마무리	다시 한번 자신의 입장을 설명하며 답변을 마무리합니다.
	Therefore, _____ .

정답 및 해설 p.51

고득점 포인트

과거와 현재 사례 비교 예시 아이디어

과거의 나 vs 현재의 나	과거의 나와 현재의 나를 비교하는 방법 (추천 주제: 직장 생활)
과거의 나 vs 요즘 세대	과거의 나와 요즘 세대를 비교하는 방법 (추천 주제: 교육)
부모 vs 현재의 나	과거 부모님의 방식과 현재 자신의 방식을 비교하는 방법 (추천 주제: 인터넷, 기술 발전)

복합 템플릿

🔊 MP3   5_7

긍정적 사례를 설명하는 13번 템플릿과 부정적 사례를 설명하는 14번 템플릿을 합친 템플릿으로, 13번과 14번 템플릿을 사용하는 대부분의 문제에 적용 가능합니다.

> Which of the following do you think is the best way to learn a foreign language?
> – Reading textbooks   – Studying at a language school   – Taking an online lecture
> 다음 중 외국어를 배우기에 가장 좋은 방법은 무엇인가요?
> – 학습서 읽기   – 외국어 학원에서 공부하기   – 온라인 강의 듣기

입장		I think studying at a language school is the best way to learn a foreign language. 저는 외국어 학원에서 공부하는 것이 외국어를 배우기에 가장 좋은 방법이라고 생각합니다.
이유		Most of all, we can get feedback from professional instructors. 무엇보다, 우리는 전문 강사로부터 피드백을 받을 수 있습니다.
예시	과거 배경	묘사하려는 상황의 배경을 설명해주세요. (처한 상황, 주변 환경 및 인물 소개) About 2 years ago, I took an online lecture to study Chinese at home. 약 2년 전에, 저는 집에서 중국어를 공부하기 위해 온라인 강의를 들었습니다.
	문제점	발생한 문제점을 설명해주세요. However, it was very difficult to study Chinese pronunciation alone. 그런데, 중국어 발음을 혼자서 공부하는 것은 매우 어려웠습니다.
	대안	발생한 문제점의 해결을 위한 대안책을 설명해주세요. So, I decided to study at a famous language school near my office. 따라서, 저는 사무실 근처의 유명한 외국어 학원에서 공부하기로 결심했습니다.
	결과	이에 따른 긍정적 변화를 설명해주세요. As a result, I was able to get feedback on my pronunciation often. Also, I could ask questions to the teacher anytime. 그 결과, 저는 발음에 대한 피드백을 자주 받을 수 있었습니다. 또한, 저는 선생님께 아무 때나 질문을 할 수 있었습니다.

마무리	Therefore, I think studying at a language school is the best way to learn a foreign language. 따라서, 저는 외국어 학원에서 공부하는 것이 외국어를 배우기에 가장 좋은 방법이라고 생각합니다.

구체적인 배경 아이디어 만들기 🔊 MP3 5_8

예시의 첫 단계인 배경 문장을 빈도, 사람, 시점, 목적, 장소의 다섯 가지 키워드를 이용해서 구체적으로 만드는 연습을 해주세요. 두 개 이상의 아이디어를 함께 사용할 수도 있습니다.

1

When I was a university student, I went to a café.　+

빈도	almost every day
사람	with my friends
시점	after class
목적	to do an assignment

제가 대학생이었을 때, 저는 카페에 갔습니다.

거의 매일
친구들과 함께
수업이 끝나고
과제를 하기 위해

2

When I was a new employee, I ate out.　+

빈도	about twice a week
사람	with my coworkers
시점	during the lunch break
장소	near my office

제가 신입사원이었을 때, 저는 외식을 했습니다.

일주일에 두 번 정도
직장 동료들과 함께
점심 시간에
사무실 근처에서

Question 11

3

In the case of my best friend, she had a part-time job.
제 가장 친한 친구의 경우, 그녀는 아르바이트를 했습니다.

+

장소	편의점에서
빈도	거의 매일
시점	오후 6시부터 11시까지
목적	등록금을 내기 위해

4

When I was a university student, I traveled.
제가 대학생이었을 때, 저는 여행을 했습니다.

+

장소	유럽으로
사람	가장 친한 친구와
목적	재충전을 위해
시점	여름 방학 동안에

5

About three months ago, I exercised.
약 3개월 전에, 저는 운동을 했습니다.

+

빈도	_____
장소	_____
사람	_____
목적	_____

3 장소 at a convenience store

　 빈도 almost every day

　 시점 from 6 to 11 P.M.

　 목적 to pay her college tuition

4 장소 to Europe

　 사람 with my best friend

　 목적 to refresh myself

　 시점 during the summer vacation

5 빈도 once a week

　 장소 at a gym

　 사람 with my friends

　 목적 to lose weight

노트테이킹 공간을 활용하여 다음의 질문에 45초간 답변을 준비한 뒤, 60초간 답변해보세요.

◁)) MP3 5_9

TOEIC Speaking	Question 11 of 11

Do you agree or disagree with the following statement?

Even though a lot of people watch videos on mobile devices nowadays, there will always be a demand for TVs.

Give specific reasons or examples to support your opinion.

준비시간: 45초 / 답변시간: 60초

Scratch Paper

정답 및 해설 p.53

2 🔊 MP3 5_10

TOEIC Speaking	Question 11 of 11

Do you agree or disagree with the following statement?

Starting a business is easier now than it was in the past.

Give specific reasons or examples to support your opinion.

준비시간: 45초 / 답변시간: 60초

Scratch Paper

정답 및 해설 p.54

TOEIC Speaking   **Question 11 of 11**

Think of a work skill that you would like to learn more about. Is it better to learn about that skill by taking a class or by watching instructional videos online? Why?

Give specific reasons or examples to support your opinion.

준비시간: 45초 / 답변시간: 60초

Scratch Paper

....

....

....

....

....

....

....

📖 정답 및 해설 p.55

TOEIC Speaking　　　　　　　**Question 11 of 11**

Do you agree or disagree with the following statement?

When making important decisions, it is more helpful to seek advice from many people than to ask one person.

Give specific reasons or examples to support your opinion.

준비시간: 45초 / 답변시간: 60초

Scratch Paper

....

....

....

....

....

....

....

정답 및 해설　p.56

TOEIC Speaking   **Question 11 of 11**

What is the best way for a university student to spend time during long vacations?
Choose one of the options provided below, and give specific reasons or examples to support your opinion.

- Traveling abroad
- Doing an internship
- Studying

준비시간: 45초 / 답변시간: 60초

Scratch Paper

....

....

....

....

....

....

📖 정답 및 해설 p.57

TOEIC Speaking   **Question 11 of 11**

What are the disadvantages of introducing flexible working hours for employees?

Give specific reasons or examples to support your opinion.

준비시간: 45초 / 답변시간: 60초

Scratch Paper

....

....

....

....

....

....

....

정답 및 해설   p.58

제이크쌤의 레벨UP 솔루션 고득점에 도움이 되는 팁을 소개합니다.

Q 답변 아이디어가 잘 생각나지 않습니다.

A 11번 문제를 처음 학습하는 분들은 보유한 영어 실력에 상관없이 누구나 답변 아이디어 제작에 어려움을 겪습니다. 학습 초반에는 다양한 문제에 대해 한글로 답변 아이디어를 만드는 연습이 매우 중요합니다.

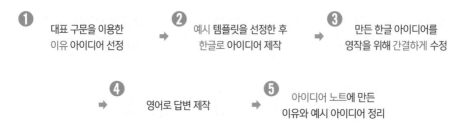

① 대표 구문을 이용한 이유 아이디어 선정 ➡ ② 예시 템플릿을 선정한 후 한글로 아이디어 제작 ➡ ③ 만든 한글 아이디어를 영작을 위해 간결하게 수정

➡ ④ 영어로 답변 제작 ➡ ⑤ 아이디어 노트에 만든 이유와 예시 아이디어 정리

아이디어 노트 예시

새로운 아이디어를 만드는 것도 중요하지만 학습한 아이디어를 정리해 두는 것이 더 중요합니다.
아래의 양식을 참고해서 자신만의 아이디어 노트를 만들어보세요.

What improvement is needed most for the education of students in your city? – 최신기술 사용 – 학급당 인원수 줄이기 – 다양한 액티비티 도입		
입장	인원 수 줄이기	
이유	Most of all, students can study in a comfortable atmosphere.	
예시 (14)번 템플릿	배경	When I was a middle school student, there were about 40 students in my class.
	문제점	So, the classroom was always crowded and noisy.
	결과	As a result, it was very difficult to concentrate on studying.
새로운 표현 및 Self-feedback	• study, exercise를 명사로 쓸 때 ing 사용 • 동사 시제 유의!	

Q 영작이 어렵습니다.

A 간결하고 쉬운 답변 아이디어를 만드는 연습이 필요합니다. 먼저 7살짜리 아이가 작성한 일기를 살펴보겠습니다.

> **7살의 일기**
> 오늘은 공부하기 싫었다. 그런데 엄마가 공부하라고 했다.
> 그래서 오늘은 기분이 좋지 않았다.

이런 간단한 문장조차 영어로 말하지 못하는 분들이 많습니다. 게다가, 자신의 실력을 정확히 모른 채 아래와 같이 어려운 아이디어를 영작하려는 분들이 많습니다.

> **내가 만들려는 문장**
> 내가 대학생이었을 때, 나는 전공을 살리기 싫었다.
> 그런데 취업을 위해서 학점 관리를 해야 했다.

따라서, 11번 문제의 초반에는 자신의 영어 실력에 맞는 간결한 답변 아이디어를 만드는 연습이 중요합니다.

Question 11

Q 답변 시간이 부족해요.

A 답변 시간이 부족하다면 마무리 문장을 생략해주세요.
이유와 예시만 잘 설명해 준다면 마무리 문장이 없이도 고득점을 받을 수 있습니다.

Q 답변 시간이 남아요.

A 평소에 답변 시간이 많이 남는다면 이유와 예시를 한 세트 더 말해주세요. 시간적 여유가 많지 않다면 두 번째 이유까지만 말해주세요.

입장 ➡ 첫 번째 이유 및 예시 ➡ 두 번째 이유 및 예시 ➡ 마무리

> **TIP** 두번째 이유는 Another reason is that으로 시작해주세요.
> 예 Another reason is that we can be motivated by other people.
> 또 다른 이유로, 우리는 다른 사람들로부터 동기부여가 될 수 있습니다.

중요 표현 정리

🔊 MP3 5_15

답변에 자주 사용되는 표현을 주제별로 정리했으니 꼭 암기해주세요.

직장 생활

applicant 지원자	interpersonal skills 대인관계 기술
attract customers 고객을 유치하다	job requirement 자격 요건
competitors 경쟁자	large corporation 대기업
do business 사업을 하다	long commute 장거리 통근
employee benefits 복지혜택	lunch break 점심 시간
enter a company 입사하다	make a decision 결정을 내리다
exchange opinions 의견을 나누다	meet the deadline 마감기한을 지키다
experienced employee 경력직 직원	open office 개방형 사무실
flexible work schedule 탄력 근무 일정	paid vacation 유급 휴가
get a job 취업하다	performance evaluation 인사 고과
get promoted 승진하다	start a business 사업을 시작하다
go on a business trip 출장을 가다	supervisor 상사, 관리자
go on a vacation 휴가를 가다	take a day off 하루 쉬다
have a discussion 토론을 하다	video conference 화상 회의
have a meeting 회의를 하다	work efficiency 업무 효율성
improve productivity 생산성을 높이다	work overtime 초과 근무를 하다

학교 생활

after-school activities 방과 후 활동	in class 수업 중에
attend a class 수업에 참석하다	major in ~를 전공하다
choose a career path 진로를 결정하다	make new friends 새로운 친구를 사귀다
college graduates 대학 졸업자	participate in ~에 참여하다
graduate student 대학원생	pass the exam 시험에 합격하다
distractions 방해 요소	pay the tuition fee 수강료를 지불하다
earn credit 학점을 취득하다	physical education class 체육 수업
find an aptitude 재능을 발견하다	private institute 사설 학원
full-time scholarship 전액 장학금	relieve stress 스트레스를 풀다
get feedback 피드백을 받다	school uniform 교복
get good grades 좋은 성적을 받다	study abroad 외국에서 공부하다
get interested in ~에 관심이 생기다	take an online class 온라인 수업을 듣다
have a part-time job 아르바이트를 하다	transfer to ~로 전학가다, 편입하다

사회적 이슈 (기술, 환경, 미디어)

in real time 실시간으로

telecommuting 재택근무

environment-friendly 환경 친화적인

attract interest 관심을 끌다

the latest information 최신 정보

incorrect information 잘못된 정보

financial support 재정적 지원

impose a fine 벌금을 부과하다

protect the environment 환경을 보호하다

get news 뉴스를 얻다

read news articles 신문기사를 읽다

reduce pollution 환경오염을 줄이다

cost-effective 비용 대비 효과적인

surf the Internet 인터넷을 검색하다

make a video call 영상통화를 하다

renewable resources 재생 가능한 자원

recycle trash 쓰레기를 재활용하다

TV commercials TV 광고

online advertisements 온라인 광고

exaggerated information 과장된 정보

natural resources 천연 자원

in the long term 장기적으로

make laws 법률을 재정하다

take strong action 강력한 조치를 취하다

pay more attention 더 주의하다

in the near future 가까운 미래에

Actual Test

실전 모의고사

실전 모의고사 1

실전 모의고사 1회
문제 영상

정답 및 해설 p.60　　　　　　　　　　　　　　　　　　　　　　　　　MP3　AT1_Questions

TOEIC Speaking

Questions 1-2: Read a text aloud

Directions: In this part of the test, you will read aloud the text on your screen. You will have 45 seconds to prepare. Then you will have 45 seconds to read the text aloud.

TOEIC Speaking　　　　　　**Question 1 of 11**

Are you looking for a way to relax on the weekend? Located just 15 minutes outside of town, the Sunny Hills Garden offers a break from the fast pace of city life. Tours begin at ten A.M., noon, and two P.M., every Saturday and Sunday. From July to September, evening tours will be available too. All tours start from the main entrance.

PREPARATION TIME	RESPONSE TIME
00:00:45	00:00:45

TOEIC Speaking　　　　　　**Question 2 of 11**

You've reached Axis Real Estate Company, your local real estate experts. Unfortunately, no one is available to answer your call right now. Please leave a message including your name, address, and contact information. One of our agents will call you back during business hours. Thank you for calling Axis Real Estate Company.

PREPARATION TIME	RESPONSE TIME
00:00:45	00:00:45

Questions 3-4: Describe a picture

Directions: In this part of the test, you will describe the picture on your screen in as much detail as you can. You will have 45 seconds to prepare your response. Then you will have 30 seconds to speak about the picture.

PREPARATION TIME	RESPONSE TIME
00:00:45	00:00:30

PREPARATION TIME	RESPONSE TIME
00:00:45	00:00:30

Questions 5-7: Respond to questions

Directions: In this part of the test, you will answer three questions. You will have three seconds to prepare after you hear each question. You will have 15 seconds to respond to Questions 5 and 6 and 30 seconds to respond to Question 7.

Imagine that an Australian marketing firm is doing research in your area. You have agreed to participate in a telephone interview about furniture, such as tables and chairs.

Imagine that an Australian marketing firm is doing research in your area. You have agreed to participate in a telephone interview about furniture, such as tables and chairs.

What was the last piece of furniture you bought and where did you buy it?

PREPARATION TIME	RESPONSE TIME
00:00:03	00:00:15

Actual Test 1

Imagine that an Australian marketing firm is doing research in your area. You have agreed to participate in a telephone interview about furniture, such as tables and chairs.

If you wanted to buy new furniture, would you visit only one store or several different stores? Why?

PREPARATION TIME	RESPONSE TIME
00:00:03	00:00:15

Imagine that an Australian marketing firm is doing research in your area. You have agreed to participate in a telephone interview about furniture, such as tables and chairs.

What is your favorite piece of furniture in your home? Why?

PREPARATION TIME	RESPONSE TIME
00:00:03	00:00:30

Questions 8-10: Respond to questions using information provided

Directions: In this part of the test, you will answer three questions based on the information provided. You will have 45 seconds to read the information before the questions begin. You will have three seconds to prepare and 15 seconds to respond to Questions 8 and 9. You will hear Question 10 two times. You will have three seconds to prepare and 30 seconds to respond to Question 10.

Gibson Pharmaceutical Company
Quarterly Manager's Meeting
Tuesday, May 1st
Conference room C

9:30 a.m. ~ 10:00 a.m.	~~Opening remarks by Wei Li, President~~ Replaced by Michelle Smith, General Director
10:15 a.m. ~ 11:30 a.m.	Discussion of 3rd quarter goals & strategies
11:30 a.m. ~ Noon	Information about new lab construction
Noon ~ 1:00 p.m.	Lunch (Dining Room)
1:00 p.m. ~ 2:00 p.m. 2:15 p.m. ~ 3:30 p.m.	**Manager reports** Upcoming projects (Charlie Jones, Development Manager) New market possibilities (Victoria Li, Marketing Manager)

PREPARATION TIME
00:00:45

Gibson Pharmaceutical Company
Quarterly Manager's Meeting
Tuesday, May 1st
Conference room C

9:30 a.m. ~ 10:00 a.m.	~~Opening remarks by Wei Li, President~~ Replaced by Michelle Smith, General Director
10:15 a.m. ~ 11:30 a.m.	Discussion of 3rd quarter goals & strategies
11:30 a.m. ~ Noon	Information about new lab construction
Noon ~ 1:00 p.m.	Lunch (Dining Room)
1:00 p.m. ~ 2:00 p.m. 2:15 p.m. ~ 3:30 p.m.	**Manager reports** Upcoming projects (Charlie Jones, Development Manager) New market possibilities (Victoria Li, Marketing Manager)

PREPARATION TIME	RESPONSE TIME
00:00:03	00:00:15

PREPARATION TIME	RESPONSE TIME
00:00:03	00:00:15

PREPARATION TIME	RESPONSE TIME
00:00:03	00:00:30

Question 11: Express an opinion

Directions: In this part of the test, you will give your opinion about a specific topic. Be sure to say as much as you can in the time allowed. You will have 45 seconds to prepare. Then you will have 60 seconds to speak.

Do you agree or disagree with the following statement?

Increased responsibilities lead to more job satisfaction at work.

Give specific reasons or examples to support your idea.

PREPARATION TIME
00:00:45

Do you agree or disagree with the following statement?

Increased responsibilities lead to more job satisfaction at work.

Give specific reasons or examples to support your idea.

RESPONSE TIME
00:01:00

Actual Test 1

📖 정답 및해설 p.66

🔊 MP3 AT2_Questions

TOEIC Speaking

Questions 1-2: Read a text aloud

Directions: In this part of the test, you will read aloud the text on your screen. You will have 45 seconds to prepare. Then you will have 45 seconds to read the text aloud.

TOEIC Speaking **Question 1 of 11**

Attention Green Wings Airlines passengers. All flights to Columbia, Mexico, and Costa Rica will be delayed due to heavy rains. We sincerely apologize for the delay. While we expect the storm will pass within two hours, we realize that some passengers may miss their connecting flights in those destinations. So, please listen carefully for further instructions. Again, we are sorry for the inconvenience.

PREPARATION TIME	RESPONSE TIME
00:00:45	00:00:45

TOEIC Speaking **Question 2 of 11**

Thank you for attending the National Engineering Conference. Before we get started, I have a few brief instructions. First, check your conference information packet to make sure you received a schedule sheet, a name tag, and lunch ticket. In addition, please arrive at all seminar sessions early so that we can start on time. The opening ceremony will begin soon.

PREPARATION TIME	RESPONSE TIME
00:00:45	00:00:45

Questions 3-4: Describe a picture

Directions: In this part of the test, you will describe the picture on your screen in as much detail as you can. You will have 45 seconds to prepare your response. Then you will have 30 seconds to speak about the picture.

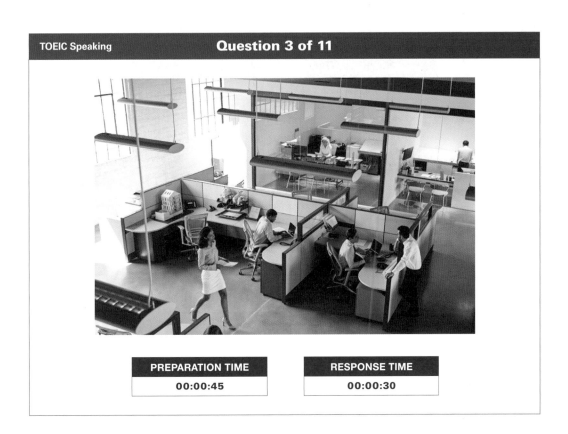

PREPARATION TIME	RESPONSE TIME
00:00:45	00:00:30

PREPARATION TIME	RESPONSE TIME
00:00:45	00:00:30

Questions 5-7: Respond to questions

Directions: In this part of the test, you will answer three questions. You will have three seconds to prepare after you hear each question. You will have 15 seconds to respond to Questions 5 and 6 and 30 seconds to respond to Question 7.

Questions 5-7 of 11

Imagine that an American educational magazine is doing research in your country. You have agreed to participate in a telephone interview about high school.

Question 5 of 11

Imagine that an American educational magazine is doing research in your country. You have agreed to participate in a telephone interview about high school.

How long did it take you to get to your high school and what transportation did you use to get there?

PREPARATION TIME	RESPONSE TIME
00:00:03	00:00:15

Actual Test 2

Imagine that an American educational magazine is doing research in your country. You have agreed to participate in a telephone interview about high school.

What was your favorite subject in high school? Why?

PREPARATION TIME	RESPONSE TIME
00:00:03	00:00:15

Imagine that an American educational magazine is doing research in your country. You have agreed to participate in a telephone interview about high school.

Did you prefer to study alone or with other classmates when you were in high school? Why?

PREPARATION TIME	RESPONSE TIME
00:00:03	00:00:30

Questions 8-10: Respond to questions using information provided

Directions: In this part of the test, you will answer three questions based on the information provided. You will have 45 seconds to read the information before the questions begin. You will have three seconds to prepare and 15 seconds to respond to Questions 8 and 9. You will hear Question 10 two times. You will have three seconds to prepare and 30 seconds to respond to Question 10.

Craig Thomas

112 Riverdale Road, Boston
intelcraig@guesson.com (617)250-7700

Desired Position	Assistant News Editor		
Education	Newark University Bachelor of Journalism June 2016		
Work History	The Boston Times	News reporter	2018 ~ present
	Plainfield City Daily	Assistant reporter	2016 ~ 2018
Other skills & Qualifications	Special correspondent (Iraq, Afghanistan) Certification: digital cameras and photo editing Published author (Introductory Photography)		
Reference	Available upon request		

> **PREPARATION TIME**
> **00:00:45**

Actual Test 2

Craig Thomas

112 Riverdale Road, Boston
intelcraig@guesson.com (617)250-7700

Desired Position	Assistant News Editor
Education	Newark University Bachelor of Journalism June 2016
Work History	The Boston Times News reporter 2018 ~ present Plainfield City Daily Assistant reporter 2016 ~ 2018
Other skills & Qualifications	Special correspondent (Iraq, Afghanistan) Certification: digital cameras and photo editing Published author (Introductory Photography)
Reference	Available upon request

PREPARATION TIME	RESPONSE TIME
00:00:03	00:00:15

PREPARATION TIME	RESPONSE TIME
00:00:03	00:00:15

PREPARATION TIME	RESPONSE TIME
00:00:03	00:00:30

TOEIC Speaking

Question 11: Express an opinion

Directions: In this part of the test, you will give your opinion about a specific topic. Be sure to say as much as you can in the time allowed. You will have 45 seconds to prepare. Then you will have 60 seconds to speak.

TOEIC Speaking — **Question 11 of 11**

Do you agree or disagree with the following statement?

Even though more and more people read books on various electronic devices, there will always be a demand for paper books.

Give specific reasons or examples to support your idea.

PREPARATION TIME
00:00:45

TOEIC Speaking — **Question 11 of 11**

Do you agree or disagree with the following statement?

Even though more and more people read books on various electronic devices, there will always be a demand for paper books.

Give specific reasons or examples to support your idea.

RESPONSE TIME
00:01:00

Actual Test 2

📖 정답 및 해설 p.72   🔊 MP3 AT3_Questions

TOEIC Speaking

Questions 1-2: Read a text aloud

Directions: In this part of the test, you will read aloud the text on your screen. You will have 45 seconds to prepare. Then you will have 45 seconds to read the text aloud.

TOEIC Speaking   **Question 1 of 11**

After a short commercial break, we have an interesting news about vacation destinations in Hawaii. It has wonderful vacations spots in the countryside, along the beach, and in various urban centers. But if you want to know which vacation spot is most popular among our listeners, stay tuned for Travel Guide News and we'll be right back.

PREPARATION TIME	RESPONSE TIME
00:00:45	00:00:45

TOEIC Speaking   **Question 2 of 11**

You have reached the Coastline Restaurant and Grill, Ocean City's favorite neighborhood restaurant. The restaurant is currently closed. For restaurant hours, please press one. For directions, please press two. For information on catering, corporate events, and in-house celebrations, please press three. Please call back after 5 o'clock to make a reservation.

PREPARATION TIME	RESPONSE TIME
00:00:45	00:00:45

Questions 3-4: Describe a picture

Directions: In this part of the test, you will describe the picture on your screen in as much detail as you can. You will have 45 seconds to prepare your response. Then you will have 30 seconds to speak about the picture.

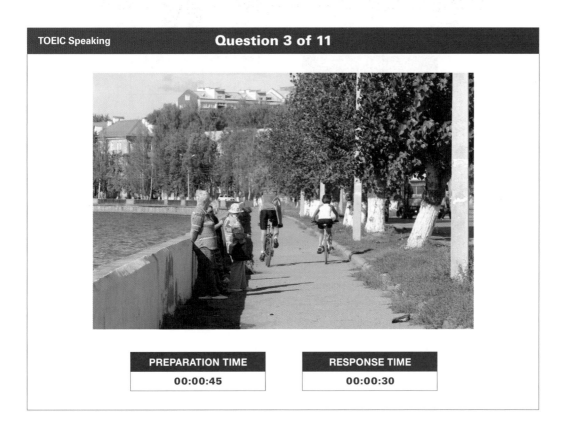

PREPARATION TIME	RESPONSE TIME
00:00:45	00:00:30

PREPARATION TIME	RESPONSE TIME
00:00:45	00:00:30

Questions 5-7: Respond to questions

Directions: In this part of the test, you will answer three questions. You will have three seconds to prepare after you hear each question. You will have 15 seconds to respond to Questions 5 and 6 and 30 seconds to respond to Question 7.

Imagine that a British educational company is doing research in your country. You have agreed to participate in a telephone interview about education.

Imagine that a British educational company is doing research in your country. You have agreed to participate in a telephone interview about education.

What is the closest university to your home and how far away is it?

PREPARATION TIME	RESPONSE TIME
00:00:03	00:00:15

Actual Test 3

Imagine that a British educational company is doing research in your country. You have agreed to participate in a telephone interview about education.

Do you prefer a large class with many students or a small class with only a few students? Why?

PREPARATION TIME	RESPONSE TIME
00:00:03	00:00:15

Imagine that a British educational company is doing research in your country. You have agreed to participate in a telephone interview about education.

If you could take a class at a university, what class would you want to take? Why?

PREPARATION TIME	RESPONSE TIME
00:00:03	00:00:30

Questions 8-10: Respond to questions using information provided

Directions: In this part of the test, you will answer three questions based on the information provided. You will have 45 seconds to read the information before the questions begin. You will have three seconds to prepare and 15 seconds to respond to Questions 8 and 9. You will hear Question 10 two times. You will have three seconds to prepare and 30 seconds to respond to Question 10.

Martin Baker, Director
Montreal Modern Art Museum
Thursday, April 3rd

9:00 A.M. ~ 10:00 A.M.	Video conference, Kate Murphy, Director of Maritime Hospital
10:00 A.M. ~ Noon	Review applications: Fundraising manager position
Noon ~ 1:30 P.M.	Lunch with museum donors
1:30 P.M. ~ 2:30 P.M.	Staff meeting
3:00 P.M. ~ 4:30 P.M.	Leading special group tour (Western hall)
4:30 P.M. ~ 6:00 P.M.	Board meeting (Theme for next exhibition)
6:15 P.M.	Pickup service to airport
9:00 P.M.	Depart to Paris (Jet Air flight #814)

PREPARATION TIME
00:00:45

Actual Test 3

Martin Baker, Director
Montreal Modern Art Museum
Thursday, April 3rd

9:00 A.M. ~ 10:00 A.M.	Video conference, Kate Murphy, Director of Maritime Hospital
10:00 A.M. ~ Noon	Review applications: Fundraising manager position
Noon ~ 1:30 P.M.	Lunch with museum donors
1:30 P.M. ~ 2:30 P.M.	Staff meeting
3:00 P.M. ~ 4:30 P.M.	Leading special group tour (Western hall)
4:30 P.M. ~ 6:00 P.M.	Board meeting (Theme for next exhibition)
6:15 P.M.	Pickup service to airport
9:00 P.M.	Depart to Paris (Jet Air flight #814)

PREPARATION TIME	RESPONSE TIME
00:00:03	00:00:15

PREPARATION TIME	RESPONSE TIME
00:00:03	00:00:15

PREPARATION TIME	RESPONSE TIME
00:00:03	00:00:30

Question 11: Express an opinion

Directions: In this part of the test, you will give your opinion about a specific topic. Be sure to say as much as you can in the time allowed. You will have 45 seconds to prepare. Then you will have 60 seconds to speak.

Imagine that you are looking for a job. If your new job asked you to work abroad for more than a year, would you accept the job? Why?

Give specific reasons or examples to support your idea.

PREPARATION TIME
00:00:45

Imagine that you are looking for a job. If your new job asked you to work abroad for more than a year, would you accept the job? Why?

Give specific reasons or examples to support your idea.

RESPONSE TIME
00:01:00

Scratch Paper

* 실제 시험장에서 나눠주는 메모장(Scratch Paper)과 유사하게 제작한 제작한 필기 연습 부분입니다.

평소 모의고사 학습 진행 시 실전감 향상을 위해 활용하실 수 있습니다.

시원스쿨LAB(lab.siwonschool.com)

Scratch Paper

Scratch Paper

시원스쿨LAB(lab.siwonschool.com)

Scratch Paper

시원스쿨LAB(lab.siwonschool.com)

시원스쿨LAB 토익스피킹 대표강사, **제이크**

15개 템플릿으로
끝내는
토익스피킹

15개 템플릿 토익스피킹 완성
제이크 선생님

시원스쿨LAB

15개 템플릿으로 끝내는 토익스피킹

템플릿 활용
연습을 통해
실전 노하우와
답변 테크닉 제공

15개 템플릿만으로
필수 기본 이론부터
핵심전략까지
모두 마스터

15개 템플릿으로
목표 레벨에 따른
응용방식 학습

토익스피킹 커리큘럼

누구나 목표 등급 달성 가능!

왕초보	입문	정규	실전

· 10가지 문법으로 시작하는 토익스피킹 기초영문법

· 28시간에 끝내는 토익스피킹

· 시원스쿨 토익스피킹 IM-AL
· 15개 템플릿으로 끝내는 토익스피킹 필수 전략서
· 시원스쿨 토익스피킹 학습지

· 5일 만에 끝내는 토익스피킹 실전 모의고사
· 시원스쿨 토익스피킹 실전모의고사 10회

제이크 선생님의 토익스피킹 교재 LINE-UP

✓ 10가지 문법 학습으로
누구나 IM등급 달성

✓ 영포자를 위한 쉽고
꼼꼼한 팁과 해설 제공

✓ 기초부터 체계적으로
안내해주는 토익스피킹 기본서

✓ 최신 경향 위주의
다양한 유형별 문제 연습

✓ 단 15개 템플릿만으로
토익스피킹을 돕는 필수 전략서

✓ 초보자도 쉽게 따라할 수 있는
가장 효율적인 템플릿 제공

✓ 최근 시험을 분석,
최신 경향을 반영한 실전서

✓ 실제 시험에 대비한
쉽고 꼼꼼한 해설

SIWONSCHOOL LAB

토스
900% 환급반

사자마자 50% 환급, 최대 900%+응시료 환급까지!

수강료 부담 NO	출석/성적 무관	응시료 토스AH/오픽AL	목표미달성시
최대 900% 환급	**수강료 50% 환급**	**응시료 환급**	**+200일 수강연장**

* 환급조건 : 성적표제출 및 후기작성 등, 제세공과금/교재비/결제수수료 제외

토익스피킹 최고 등급 달성한
시원스쿨LAB 수강생의 후기!

여러분도 할 수 있습니다!

토익스피킹 190점 달성

선생님의 강의를 들으면서,
만사형통 팁 등을 숙지하였고 토스 고득점을
받을 수 있었습니다.

시원스쿨LAB
토스/오픽 도서 라인업

시험영어 전문 연구 조직

시원스쿨어학연구소

 시험영어 전문

 기출 빅데이터

 264,000시간

TOEIC/TOEIC Speaking
OPIc/SPA/TEPS
IELTS/TOEFL/G-TELP
공인 영어시험 콘텐츠 개발 경력
20여 년 이상의 국내외
연구원들이 포진한
전문적인 연구 조직입니다.

본 연구소 연구원들은
매월 각 전문 분야의 시험에 응시해
시험에 나온 모든 문제를
철저하게 해부하고,
시험별 기출문제 빅데이터 분석을 통해
단기 고득점을 위한
학습 솔루션을 개발 중입니다.

각 분야 연구원들의 연구시간
모두 합쳐 264,000시간
이 모든 시간이 쌓여
시원스쿨어학연구소가
탄생했습니다.

시원스쿨 **LAB**

15개 템플릿으로 끝내는

TOEIC Speaking

필수 전략서

정답 및 해설

15개 템플릿으로 끝내는

TOEIC Speaking

필수 전략서

정답 및 해설

시원스쿨 LAB

목차

Read a text aloud

유형별 전략

연습 문제

유형 1 공지 및 안내문

Thank you for attending today's presentation on online marketing ↘. // Our first speaker ↗, / Lisa Kudrow / has published a new book on using the Internet to market new products ↘. // Her talk will be focused on recent business trends / including online businesses ↗, / new software ↗, / and various media resources ↘. // After the talk ↗, / you will have a chance to ask her questions ↘.

온라인 마케팅 발표회에 참석해 주셔서 감사합니다. 첫 번째 발표자인 리사 쿠드로는 새로운 제품을 판매하기 위해 인터넷을 사용하는 것에 관한 도서를 출간했습니다. 그녀의 강연은 온라인 사업, 새로운 소프트웨어, 그리고 다양한 미디어 자원을 포함한 최근 비즈니스 동향에 초점을 둘 것입니다. 강연 후에, 여러분은 그녀에게 질문할 기회가 있을 것입니다.

어휘   publish 출판하다   recent 최근의

유형 2 광고문

Attention shoppers! ↘ // Today only at Queen Furniture Store ↗, / all customers will receive a free pillow set / with the purchase of any sofa ↘. // Also ↗, / don't miss this opportunity to get a 10% extra discount on mattresses ↗, / chests ↗, / and dressers ↘. // To learn more about our special offers ↗, / please speak to one of our sales people / or visit our website ↘. // Thanks for shopping at Queen Furniture Store ↘.

고객 여러분께 알려드립니다! 오늘 단 하루, 퀸 가구점의 모든 고객은 소파 구매 시 베게 세트를 무료로 받을 수 있습니다. 또한, 매트리스, 옷장, 서랍장에 10 퍼센트 추가 할인을 받을 수 있는 기회를 놓치지 마세요. 이번 특별 행사에 대해 자세히 알아보려면 판매 직원에게 문의하거나 저희 웹사이트를 방문해주세요. 퀸 가구점을 이용해 주셔서 감사합니다.

어휘   extra 추가적인   opportunity 기회   chest (나무로 만든) 수납장   dresser 옷 서랍장

유형 3 방송 지문

Good evening / and welcome to Channel Eight News ↘. // Tonight ↗, / we'll be covering the opening of a new shopping center ↗, / upcoming festivals ↗, / and yesterday's soccer games ↘. // We'll also give you this weekend's weather forecast ↘. // But first ↗, / we have some news about ongoing construction projects ↘. // Stay tuned for more information / and we'll be right back after a short commercial ↘.

안녕하세요, 채널 8 뉴스에 오신 것을 환영합니다. 오늘 밤, 우리는 새로운 쇼핑 센터의 개장과 곧 열리는 축제, 그리고 어제 있었던 축구 경기를 다룰 것입니다. 또한 주말의 날씨도 전해드릴 것입니다. 하지만 먼저, 우리는 진행 중인 공사 프로젝트에 대한 몇 가지 소식이 있습니다. 자세한 소식을 위해 채널을 고정해 주시고, 짧은 광고 후에 다시 돌아오겠습니다.

어휘   cover 다루다   weather forecast 일기 예보   ongoing 계속 진행 중인   construction 공사, 건설   stay tuned 채널을 고정하다   commercial 광고

유형 4 자동 응답 메시지

Thank you for calling the Sandy Flat Theater ↘. // If you want to purchase tickets for the upcoming shows ↗, / leave your name / and phone number / and we'll return your call ↘. // This week ↗, / our ticket office is open / Monday through Thursday / from 9 A.M. to 7 P.M. ↘ // For information about current showings ↗, / schedules ↗, / and ticket prices ↗, / please visit our website ↘.

샌디 플랫 극장에 전화해주셔서 감사합니다. 곧 있을 공연의 티켓 구매를 원하시는 경우, 이름과 전화번호를 남겨주시면 다시 연락 드리겠습니다. 이번 주에는 매표소가 월요일부터 목요일까지 오전 9시에서 오후 7시 사이에 문을 엽니다. 현재 상영 중인 작품, 상영 일정 그리고 티켓 가격에 대한 자세한 내용이 궁금하시면 저희 웹사이트를 방문해주세요.

어휘   upcoming 다가오는   ticket office 매표소   current 현재의, 지금의   showing 상영작

실전 연습

1 공지 및 안내문

Attention travelers ↘. // Due to the storm we're currently experiencing ↗, / no plane will be able to take off / until further notice ↘. // In addition ↗, / all of today's flights to Wellington ↗, / Auckland ↗, / and Blenheim ↘ / have been canceled ↘. // For additional information ↗, / please visit the nearest customer service counter ↘. // Thank you for your understanding ↘.

여행객분들께 알려드립니다. 현재 폭풍우 때문에 추후 공지가 있을 때까지 모든 비행기가 이륙을 할 수가 없습니다. 또한, 오늘 웰링턴, 오클랜드 그리고 블렌하임으로 가는 항공편은 모두 취소되었습니다. 자세한 내용을 위해 가까운 고객 서비스 카운터를 방문해주세요. 양해해 주셔서 감사합니다.

어휘 currently 현재 take off 이륙하다 further notice 추후 공지/통보 additional 추가의 nearest 가장 가까운

2 광고문

If you are tired of the same old routine ↗, / come and visit Blackball Amusement Park ↘. // We have the fastest roller-coasters ↗, / the tastiest food ↗, / and the best entertainment ↘. // This month ↗, / all weekend admissions / are half-off ↘. // And for this Sunday only ↗, / all visitors will receive a free coupon for a chocolate waffle / from our world-famous waffle shop ↘.

매일 반복되는 일상이 지겹다면, 블랙볼 놀이공원에 방문해주세요. 우리는 가장 빠른 롤러코스터, 가장 맛있는 음식 그리고 최고의 오락 시설을 갖추고 있습니다. 이번 달에는 모든 주말 입장료가 50% 할인됩니다. 그리고 이번 주 일요일에 한해, 모든 방문객은 세계적으로 유명한 저희 와플 매장의 초콜렛 와플 쿠폰을 받게 될 것입니다.

어휘 routine (규칙적인) 일상 amusement park 놀이공원 tastiest (tasty의 최상급) 가장 맛있는 admission 입장료
world-famous 세계적으로 유명한

3 방송 지문

Now for the local news ↗, / Queenstown International Film Festival / will take place on Friday at the City Conference Center ↘. // You'll be able to enjoy works from various countries / such as Canada ↗, / England ↗, / and Australia ↘. // This annual event was a huge success last year / and over 15 thousand people came from all over the world to enjoy the festival ↘. // Sign up in advance / so you don't miss it! ↘

지역 소식을 알려드립니다. 퀸즈타운 국제 영화제가 금요일에 시티 컨퍼런스 센터에서 열릴 것입니다. 캐나다, 영국 그리고 호주 등 다양한 나라의 작품을 감상할 수 있을 것입니다. 이 연례 행사는 작년에 큰 성공을 거두었고, 15,000명이 넘는 사람들이 이 축제를 즐기기 위해 전 세계에서 찾아왔습니다. 축제를 놓치지 않도록 미리 등록하세요!

어휘 **take place** 개최되다 **a huge success** 대성공 **sign up** 등록하다 **in advance** 미리 **miss** 놓치다 **annual** 매년의, 연례의

4 자동 응답 메시지

You have reached Hobart's Restaurant ↘. // We offer a great view ↗, / comfortable atmosphere ↗, / and outstanding foods from all over the world ↘. / Our hours of operation are from 11 A.M. until 10 P.M. / every day except Mondays. // If you are calling for directions to our restaurant ↗, / press 0 ↘. // For other information ↗, / please contact us during our business hours ↘. / Thank you ↘.

호바트 레스토랑입니다. 우리는 멋진 경치, 편안한 분위기 그리고 전 세계에서 온 놀라운 음식을 제공합니다. 영업 시간은 월요일을 제외하고 매일 오전 11시부터 밤 10시까지입니다. 레스토랑에 오는 방법이 궁금하시면 0번을 눌러주세요. 그 외 다른 정보를 원하신다면 영업 시간에 다시 연락주세요. 감사합니다.

어휘 **reach** (전화로) 연락하다 **outstanding** 뛰어난 **hours of operation** 영업 시간 **direction** 방향

Describe a picture

핵심 이론

연습 문제

장소 설명

1 I think this picture **was taken** on the street.
   이 사진은 거리에서 찍힌 것 같습니다.

2 I think this picture **was taken** in a library.
   이 사진은 도서관에서 찍힌 것 같습니다.

인원 수 설명

1 **There are** four people **in this picture**.
   사진에는 네 명의 사람들이 있습니다.

2 **There are** many people **in this picture**.
   사진에는 많은 사람들이 있습니다.

주요 대상 설명

1 In the middle of the picture, **many people are** skating.
   사진의 가운데에, 많은 사람들이 스케이트를 타고 있습니다.

2 At the top of the picture, **there are** many national flags.
   사진의 위쪽에, 많은 국기가 있습니다.

의견 말하기

1 **It seems like** the weather is good for outdoor activities.
   날씨가 야외 활동에 좋아 보입니다.

2 **It seems like** they are coworkers.
   그들은 직장 동료인 것 같습니다.

3 **It seems like** they are working in a comfortable atmosphere.
   그들은 편안한 분위기에서 일을 하는 것 같습니다.

4 **It seems like** they are concentrating on the meeting.
   그들은 회의에 집중하고 있는 것 같습니다.

템플릿 학습

연습 문제

템플릿 1 인물 중심 (2인)

장소	I think this picture was taken in a parking lot. 이 사진은 주차장에서 찍힌 것 같습니다.
인원 수	There are two people in this picture. 사진에는 두 명의 사람이 있습니다.
인물 1	On the left side of the picture, **a man is** taking a box out of the van. **He has** short brown hair. 사진의 왼쪽에, 한 남자가 흰색 승합차에서 상자를 꺼내고 있습니다. 그는 짧은 갈색 머리입니다.
인물 2	On the right side of the picture, **a woman is** stacking boxes. **She is wearing** a pink top and black pants. 사진의 오른쪽에, 한 여자가 상자를 쌓고 있습니다. 그녀는 분홍색 상의와 검정 바지를 입고 있습니다.
추가 문장	In the background of the picture, **I can see** a red building. 사진의 배경에, 빨간색 건물이 보입니다.

템플릿 2 **인물 중심 (3인 이상)**

장소	I think this picture **was taken** in an office. 이 사진은 사무실에서 찍힌 것 같습니다.
인원 수	**There are** four people **in this picture.** 사진에는 네 명의 사람들이 있습니다.
인물 1	In the middle of the picture, **a woman is** using a laptop computer. **She is wearing** a striped shirt. 사진의 가운데에, 한 여자가 노트북 컴퓨터를 사용하고 있습니다. 그녀는 줄무늬 셔츠를 입고 있습니다.
인물 2	Behind her, **two people are** talking to each other. 그녀의 뒤에, 두 사람이 서로 대화를 하고 있습니다.
인물 3	On the right side of the picture, **a man is** looking at a monitor. 사진의 오른쪽에, 한 남자가 모니터를 쳐다보고 있습니다.

TIP 시간이 남으면 왼쪽의 화이트보드도 설명해주세요.

템플릿 3 인물 중심 (1인)

장소	I think this picture was taken in a factory. 이 사진은 공장에서 찍힌 것 같습니다.
인물	On the left side of the picture, **a woman is** scanning a barcode. **Also**, she is looking at a tablet PC. **She is wearing** a safety helmet and a safety vest. 사진의 왼쪽에, 한 여자가 바코드를 스캔하고 있습니다. 또한, 그녀는 태블릿 PC를 쳐다보고 있습니다. 그녀는 안전모와 안전 조끼를 착용하고 있습니다.
사물 1	In front of her, some boxes are stacked. 그녀의 앞에, 몇 개의 상자가 쌓여 있습니다.
사물 2	In the background of the picture, **there are** many containers on the shelves. 사진의 배경에, 많은 컨테이너들이 선반 위에 놓여 있습니다.
추가 문장	**It seems like** she is checking the inventory. 그녀가 재고를 확인하고 있는 것 같습니다.

템플릿 4 다수의 인물 및 사물

장소	I think this picture was taken at a camping site. 이 사진은 캠핑장에서 찍힌 것 같습니다.
인원 수	There are two people in this picture. 사진에는 두 명의 사람들이 있습니다.
대상 1	On the left side of the picture, there is a grey camping car. 사진의 왼쪽에, 회색 캠핑카 한 대가 있습니다.
대상 2	On the right side of the picture, two people are sitting in camping chairs. 사진의 오른쪽에, 두 명이 캠핑 의자에 앉아 있습니다.
대상 3	In the middle of the picture, I can see a tree and a camping table. 사진의 가운데에, 나무 한 그루와 캠핑 테이블이 보입니다.
대상 4	In the background of the picture, there is a large lake. 사진의 배경에, 커다란 호수가 있습니다.

도전! AL+

연습 문제

동작과 의상 함께 설명하기

1 A man wearing a navy jacket is using a mobile phone.
남색 재킷을 입은 한 남자가 휴대폰을 사용 중입니다.

2 A woman wearing a green cardigan is teaching children.
녹색 가디건을 입은 한 여자가 아이들을 가르치고 있습니다.

3 A woman wearing a green apron is taking an order.
녹색 앞치마를 두른 한 여자가 주문을 받고 있습니다.

4 A man wearing a white shirt is riding a bicycle.
흰 셔츠를 입은 한 남자가 자전거를 타고 있습니다.

두 가지 동작을 함께 설명하기

1 A man is drinking something while looking at a laptop screen.
한 남자가 노트북 화면을 보면서 무언가를 마시고 있습니다.

2 A man is talking on the phone while going up the stairs.
한 남자가 계단을 올라가면서 통화를 하고 있습니다.

3 Two women are walking on the street while talking to each other.
두 여자가 대화를 하면서 거리를 걸어가고 있습니다.

4 A man is looking at a document while talking on the phone.
한 남자가 통화를 하면서 서류를 보고 있습니다.

수동태를 사용해서 사물 설명하기

1 Many books are arranged on the bookshelves.
많은 책이 책장에 꽂혀 있습니다.

2 Many cars are parked on the side of the road.
많은 차들이 길가에 주차되어 있습니다.

3 A yacht is docked.
요트가 정박되어 있습니다.

4 Many boxes are stacked.
많은 상자들이 쌓여 있습니다.

실전 연습

1 인물 중심 (3인 이상)

	장소	I think this picture was taken in a living room. 이 사진은 거실에서 찍힌 것 같습니다.
	인원 수	There are four people in this picture. 사진에는 네 사람이 있습니다.
템플릿 2 **인물 중심** **(3인 이상)**	인물 1	At the bottom of the picture, a girl is typing on a laptop computer. She has blonde hair. 사진의 아래쪽에, 한 여자아이가 노트북 컴퓨터에 타이핑을 하고 있습니다. 그녀는 금발입니다.
	인물 2	Next to her, a boy is using a tablet PC (while sitting on a sofa). 그녀의 옆에, 한 남자 아이가 소파에 앉아서 태블릿 PC를 사용하고 있습니다.
	인물 3	In the background of the picture, two people are sitting at a table. (I think they are drinking wine.) 사진의 배경에, 두 사람이 테이블에 앉아 있습니다. (그들은 와인을 마시고 있는 것 같습니다.)

( ) = 자신의 현재 실력에 맞게 추가 여부를 결정하세요.

어휘 while ~한 상태로

2 인물 중심 (3인 이상)

      [템플릿 2] **인물 중심** (3인 이상)	**장소**	I think this picture was taken in an office. 이 사진은 사무실에서 찍힌 것 같습니다.
	인원 수	(There are six people in this picture.) 사진에는 여섯 명의 사람들이 있습니다.
	인물 1	In the foreground of the picture, a woman is writing something on the paper. She is wearing a red checkered shirt. 사진의 앞쪽에, 한 여자가 종이에 뭔가를 쓰고 있습니다. 그녀는 빨간 체크무늬 셔츠를 입고 있습니다.
	인물 2	Next to her, another woman (wearing a grey t-shirt) is using a laptop computer. 그녀의 옆에, 회색 티셔츠를 입은 여자가 노트북을 사용하고 있습니다.
	인물 3	On the right side of the picture, two people are working together. 사진의 오른쪽에, 두 사람이 함께 일을 하고 있습니다.
	추가 문장	(Behind them, two men are working hard.) 그들의 뒤에, 두 남자가 열심히 일하고 있습니다.

( ) = 자신의 현재 실력에 맞게 추가 여부를 결정하세요.

3 인물 중심 (3인 이상)

	장소	I think this picture was taken in a kitchen. 저는 이 사진이 주방에서 찍혔다고 생각합니다.
	인원 수	There are four people in this picture. 사진에는 네 사람이 있습니다.
템플릿 2 인물 중심 (3인 이상)	인물 1	On the left side of the picture, a man is cooking something. He is wearing a grey shirt. 사진의 왼쪽에, 한 남자가 뭔가를 요리하고 있습니다. 그는 회색 셔츠를 입고 있습니다.
	인물 2	Behind him, a boy is drawing a picture. 그의 뒤에, 한 남자아이가 그림을 그리고 있습니다.
	인물 3	On the right side of the picture, a woman and a girl are using a tablet PC. 사진의 오른쪽에, 한 여자와 여자아이가 태블릿 PC를 사용하고 있습니다.
	추가 문장	(It seems like the man is cooking for his family.) 남자가 가족을 위해서 요리를 하는 것처럼 보입니다.

(   ) = 자신의 현재 실력에 맞게 추가 여부를 결정하세요.

4 다수의 인물 및 사물

	장소	I think this picture was taken in a famous tourist spot. 이 사진은 유명한 관광지에서 찍힌 것 같습니다.
	인원 수	(There are many people in this picture.) 사진에는 많은 사람들이 있습니다.
템플릿 4 **다수의 인물 및 사물**	**대상 1**	On the left side of the picture, a man (wearing a suit) is walking on the street. 사진의 왼쪽에, 정장을 입은 한 남자가 거리를 걸어가고 있습니다.
	대상 2	On the right side of the picture, there is (a building and it looks like) a restaurant. 사진의 오른쪽에, 한 건물이 있고 그것은 레스토랑처럼 보입니다.
	대상 3	In front of the building, many people are sitting at a table. 그 건물의 앞에, 많은 사람들이 테이블에 앉아 있습니다.
	대상 4	In the background of the picture, I can see a large church. 사진의 배경에, 커다란 교회가 보입니다.

(　　　) = 자신의 현재 실력에 맞게 추가 여부를 결정하세요.

어휘　tourist spot 관광지

Describe a picture　17

5 인물 중심 (1인)

	장소	I think this picture was taken in a park. 이 사진은 공원에서 찍힌 것 같습니다.
	인물	In the middle of the picture, a woman is walking a big dog. (She is holding a leash.) Also, she has a bag on her shoulder. 사진의 가운데에, 한 여자가 큰 개를 산책시키고 있습니다. 그녀는 개의 목줄을 잡고 있습니다. 또한, 그녀는 어깨에 가방을 메고 있습니다.
[템플릿 3] **인물 중심** **(1인)**	사물 1	On the left side of the picture, there is a black street light. 사진의 왼쪽에, 검은색 가로등이 있습니다.
	사물 2	In the background of the picture, I can see many trees and a picnic table. 사진의 배경에, 많은 나무와 피크닉 테이블이 보입니다.
	추가 문장	(It seems like the dog is a retriever.) 저 개는 리트리버인 것 같습니다.

( ) = 자신의 현재 실력에 맞게 추가 여부를 결정하세요.

어휘 walk a dog 개를 산책시키다 leash 목줄 street light 가로등

6 인물 중심 (2인)

[템플릿1] **인물 중심** **(2인)**	장소	I think this picture was taken at a campsite. 이 사진은 캠핑장에서 찍힌 것 같습니다.
	인원 수	There are two people in this picture. (And they are sitting under a parasol.) 사진에는 두 명의 사람이 있습니다. 그리고 그들은 파라솔 아래에 앉아 있습니다.
	인물 1	The man on the right is using a laptop computer. He is wearing jeans. 오른쪽의 남자는 노트북 컴퓨터를 사용 중입니다. 그는 청바지를 입고 있습니다.
	인물 2	The woman on the left is reading a book. She is wearing jeans too. 왼쪽의 여자는 책을 읽고 있습니다. 그녀도 청바지를 입고 있습니다.
	추가 문장	In the background of the picture, there is a large camping car. 사진의 배경에, 커다란 캠핑카가 있습니다.

(   ) = 자신의 현재 실력에 맞게 추가 여부를 결정하세요.

어휘 campsite 캠핑장

TIP 두 인물을 함께 소개한 뒤, 한 명씩 보강 설명을 해주는 답변 방식입니다.

Respond to questions

연습 문제

템플릿 5 두 개의 의문사에 답변하기

1 **Q** When was the last time you went to a shopping mall, and what did you buy?

  A The last time I went to a shopping mall was two weeks ago, and I bought some books.

  Q 마지막으로 쇼핑몰에 간 적이 언제이고, 무엇을 샀나요?

  A 마지막으로 쇼핑몰에 간 것은 2주 전이었고, 저는 책을 몇 권 샀습니다.

2 **Q** What forms of transportation do you usually use in your area, and how often do you use them?

  A I usually use the subway, and I use it almost every day.

  Q 당신이 사는 지역에서 주로 어떤 교통수단을 이용하나요? 그리고 그것을 얼마나 자주 사용하나요?

  A 저는 주로 지하철을 이용하고, 그것을 거의 매일 사용합니다.

3 **Q** How many hours a day do you use a desktop or laptop computer, and what do you usually do with it?

  A I use a laptop computer about 6 hours a day, and I usually make some documents with it.

  Q 하루에 사무용 컴퓨터나 노트북을 몇 시간 사용하나요? 그리고 그것으로 주로 무엇을 하나요?

  A 저는 노트북 컴퓨터를 하루에 6시간 정도 사용하고, 그것으로 주로 문서를 작성합니다.

4 **Q** When was the last time you used a train, and where did you take it to?

  A The last time I used a train was last month, and I took it to my hometown.

  Q 마지막으로 기차를 탄 것은 언제이고, 그것을 타고 어디에 갔나요?

  A 마지막으로 기차를 탄 것은 지난달이었고, 저는 그것을 타고 고향에 갔습니다.

5 **Q** What kind of hobby do you have nowadays, and how often do you enjoy it?

  A I play badminton nowadays, and I enjoy it every Saturday.

  Q 요즘 어떤 취미를 가지고 있으며, 그것을 얼마나 자주 즐기나요?

  A 저는 요즘 배드민턴을 치며, 그것을 매주 토요일마다 즐깁니다.

템플릿 6 이유를 추가로 설명하기

1 Do you prefer to watch movies at home or at a movie theater? Why?

영화를 집에서 보는 것과 영화관에서 보는 것 중 무엇을 선호하나요? 그 이유는 무엇인가요?

집 ➡	동사 중심	I prefer to watch movies at home. It's because I can watch movies in a comfortable atmosphere.
영화관 ➡	명사 중심	I prefer to watch movies at a movie theater. It's because there are various facilities for watching movies in a movie theater.

2 Do you think your city needs more bike lanes on the street? Why or why not?

당신이 사는 도시의 거리에 더 많은 자전거 도로가 필요하다고 생각하나요? 그 이유는 무엇인가요?

긍정 ➡	형용사 중심	Yes, I think my city needs more bike lanes on the street. It's because it is dangerous to ride a bicycle in my city.
부정 ➡	명사 중심	No, I don't think my city needs more bike lanes on the street. It's because there are already a lot of bike lanes in my city.

3 Would you rather drive a car or use public transportation in your city? Why?

당신이 사는 도시에서 차를 운전할 것인가요, 아니면 대중교통을 이용할 것인가요? 그 이유는 무엇인가요?

운전 ➡	동사 중심	I would rather drive a car in my city. It's because I can travel regardless of time.
대중 교통 ➡	형용사 중심	I would rather use public transportation. It's because it is cheaper to use public transportation.

4 Have you ever exercised at a fitness center? Why or why not?

피트니스센터에서 운동을 해본 적이 있나요? 그 이유는 무엇인가요?

긍정 ➡	동사 중심	Yes, I have exercised at a fitness center. It's because I can learn how to exercise from an expert.
부정 ➡	형용사 중심	No, I have not/never exercised at a fitness center. It's because it is expensive to exercise at a fitness center.

5 If there were a bus tour of a city you were traveling, would you take it? Why or why not?

여행 중인 도시에 버스 투어가 있다면, 그것을 이용하겠나요? 그 이유는 무엇인가요?

긍정 ➡	필요성 (부정)	Yes, I would <u>take a bus tour</u>. It's because <u>I don't have to</u> <u>worry about making a travel plan</u>.
부정 ➡	관심사	No, I wouldn't <u>take a bus tour</u>. It's because <u>I'm not interested in</u> <u>bus tours</u>.

템플릿 7 의견 설명하기

선호사항 묻기

> Where is your favorite place to study out of the following options? Why?
> – University library   – Café   – Home
>
> 다음 중 어디서 공부하는 것을 가장 좋아하나요? 그 이유는 무엇인가요?
> – 대학교 도서관 – 카페 – 집

1 빈칸의 제시어를 활용해 답변을 완성해보세요.

입장	A <u>university library</u> is my favorite place to study. 저는 대학교 도서관에서 공부하는 것을 가장 좋아합니다.
이유 1	First, there are <u>comfortable desks and chairs</u> in the university library. 첫째로, 대학교 도서관에는 편안한 책상과 의자가 있습니다.
이유 2	Second, I can <u>be motivated</u> by other people. 둘째로, 다른 사람들로 인해 동기 부여가 됩니다.
마무리	Therefore, <u>a university library</u> is my favorite place to study. 따라서, 저는 대학교 도서관에서 공부하는 것을 가장 좋아합니다.

2 아래의 답변 키워드를 활용해 전체 답변을 완성해보세요.

입장	My favorite place to study is <u>home</u>. 저는 집에서 공부하는 것을 가장 좋아합니다.
이유 1	First, <u>it is easy to concentrate on studying because my home is quiet</u>. 첫째로, 집은 조용하기 때문에 공부에 집중하기 쉽습니다.

이유 2	Second, I can study in a comfortable atmosphere. 둘째로, 편안한 분위기에서 공부를 할 수 있습니다.
마무리	Therefore, my favorite place to study is home. 따라서, 저는 집에서 공부하는 것을 가장 좋아합니다.

개인적 견해

> Would you spend a vacation camping at a camping site? Why or why not?
> 당신은 캠핑장에서 캠핑을 하며 휴가를 보낼 의향이 있나요? 그 이유는 무엇인가요?

Questions 5-7

1 빈칸의 제시어를 활용해 답변을 완성해보세요.

입장(긍정)	I would spend a vacation camping at a camping site. 저는 캠핑장에서 캠핑을 하며 휴가를 보낼 의향이 있습니다.
이유 1	First, there is a famous camping site near my house. 첫째로, 제 집 주변에 유명한 캠핑장이 있기 때문입니다.
이유 2	Second, I can rest in a relaxed atmosphere. 둘째로, 제가 여유로운 분위기에서 휴식을 취할 수 있습니다.
마무리	Therefore, I would spend a vacation camping at a camping site. 따라서, 저는 캠핑장에서 캠핑을 하며 휴가를 보낼 의향이 있습니다.

2 아래의 답변 키워드를 활용해 전체 답변을 완성해보세요.

입장(부정)	I would not spend a vacation camping at a camping site. 저는 캠핑장에서 캠핑을 하며 휴가를 보낼 의향이 없습니다.
이유 1	First, it is expensive to buy camping equipment. 첫째로, 캠핑 장비를 구매하기 비싸기 때문입니다.
이유 2	Second, I can't sleep comfortably outside. 둘째로, 저는 야외에서 잠을 편하게 잘 수 없습니다.
마무리	Therefore, I would not spend a vacation camping at a camping site. 따라서, 저는 캠핑장에서 캠핑을 하며 휴가를 보낼 의향이 없습니다.

장단점 묻기

What are the advantages/disadvantages of using public transportation in your city compared to driving a car?
당신이 살고 있는 도시에서 자동차를 운전하는 것에 비해 대중교통을 이용하는 것의 장점/단점이 무엇인가요?

1 빈칸의 제시어를 활용해 답변을 완성해보세요.

장점	There are some advantages of using public transportation in my city compared to driving a car. 우리 도시에서 자동차를 운전하는 것에 비해 대중교통을 이용하는 것에는 몇 가지 장점이 있습니다.
이유 1	First, it is <u>cheaper</u> to <u>travel</u> in the city. 첫째로, 도시에서 이동하는 것이 더 저렴합니다.
이유 2	Second, I can <u>avoid traffic jams</u> during rush hour. 둘째로, 저는 혼잡 시간대에 교통 체증을 피할 수 있습니다.
마무리	I think these are the advantages of using public transportation in my city compared to driving a car. 저는 이것이 우리 도시에서 자동차를 운전하는 것에 비해 대중교통을 이용하는 것의 장점이라고 생각합니다.

2 아래의 답변 키워드를 활용해 전체 답변을 완성해보세요.

단점	There are some disadvantages of using public transportation in my city compared to driving a car. 우리 도시에서 자동차를 운전하는 것에 비해 대중교통을 이용하는 것에는 몇 가지 단점이 있습니다.
이유 1	First, <u>it is difficult to use public transportation during rush hour</u>. 첫째로, 혼잡 시간대에는 대중교통을 이용하기 어렵습니다.
이유 2	Second, <u>there are not many subway stations and bus stops in my city</u>. 둘째로, 우리 도시에는 지하철역이나 버스 정류장이 많지 않습니다.
마무리	I think these are the disadvantages of using public transportation in my city compared to driving a car. 저는 이것이 우리 도시에서 자동차를 운전하는 것에 비해 대중교통을 이용하는 것의 단점이라고 생각합니다.

연습 문제

Imagine a British cooking magazine is conducting a survey on cooking habits.
You have agreed to participate in a telephone interview about cooking habits.

영국의 한 요리 잡지가 요리 습관에 대해서 조사를 하고 있다고 가정해보세요.
당신은 요리 습관에 대한 전화 인터뷰에 참여하기로 동의하였습니다.

Q5	When was the last time you cooked and what did you make? 언제 마지막으로 요리를 했으며, 무엇을 만들었나요?
A5	의문사 when 답변 I cooked yesterday, 의문사 what 답변 and I made some fried rice and salad. 저는 어제 요리를 했으며, 볶음밥과 샐러드를 만들었습니다.
Q6	Do you have a plan to buy a new cooking utensil in the near future? Why or why not? 조만간 새로운 조리기구를 구매할 계획이 있나요? 그 이유는 무엇인가요?
A6	첫 문장 I have a plan to buy a new cooking utensil in the near future. 이유 문장 It's because I want to buy an air fryer. 저는 조만간 새로운 조리기구를 구매할 계획이 있습니다. 왜냐하면 저는 에어 프라이어를 구매하고 싶기 때문입니다.
Q7	Do you think reading a cookbook is a good way to learn how to cook? 요리책을 읽는 것이 요리를 배우기에 좋은 방법이라고 생각하나요?
A7	입장 문장 I think reading a cookbook is a good way to learn how to cook. 첫번째 이유 First, it is easy to understand because there are many pictures in the book. 두번째 이유 Second, I can learn how to cook regardless of time and location. 마무리 문장 Therefore, I think reading a cookbook is a good way to learn how to cook. 저는 요리책을 읽는 것이 요리를 배우기 좋은 방법이라고 생각합니다. 첫 번째로, 책에 사진이 많아서 이해하기가 쉽습니다. 둘째로, 저는 시간과 장소에 상관없이 요리를 배울 수 있습니다. 따라서 저는 요리책을 읽는 것이 요리를 배우기 좋은 방법이라고 생각합니다.

어휘   cooking utensil 조리기구   cookbook 요리책

실전 연습

TOEIC Speaking

Imagine that a U.S. newspaper company is doing some research in your country.
You have agreed to participate in a telephone interview about public transportation.

1 전화 인터뷰 – 편의 시설

미국의 한 신문 회사가 당신의 나라에서 설문조사를 하고 있다고 가정해보세요.
당신은 대중교통에 관한 전화 인터뷰에 참여하기로 동의하였습니다.

Q5 How often do you use public transportation, and what do you usually do when you use it?
대중교통을 얼마나 자주 이용하고 그것을 이용할 때 주로 무엇을 하나요?

A5 I use public transportation every day, and I usually listen to music when I use it.
저는 대중교통을 매일 이용하며, 대중교통을 이용할 때 주로 음악을 듣습니다.

Q6 Do you pay in cash when you use public transportation? Why or why not?
대중교통을 이용할 때 요금을 현금으로 지불하나요? 그 이유는 무엇인가요?

A6 I don't pay in cash when I use public transportation. It's because it is much more convenient to pay with a transportation card.
저는 대중교통을 이용할 때 현금으로 요금을 지불하지 않습니다. 왜냐하면 교통카드로 지불하는 것이 훨씬 더 편리하기 때문입니다.

Q7 What changes would encourage you to take buses more often? Why?
어떤 변화가 당신이 더 자주 버스를 타도록 만들 수 있을까요?

A7 There are some changes that would encourage me to take buses more often. First, there should be more express bus terminals in the city. Second, bus drivers need to drive more safely.
제가 버스를 더 자주 타도록 할 수 있는 몇 가지 변화가 있습니다. 첫째로, 도시 내에 더 많은 고속버스 터미널이 있어야 합니다. 둘째로, 버스 운전사들은 더 안전하게 운전해야 합니다.

추가문장 Some drivers tend to drive a bus not carefully.
몇몇 운전사들은 조심해서 운전하지 않는 경향이 있습니다.

어휘   express bus 고속버스   tend to ~하는 경향이 있다

Imagine that a lifestyle magazine is preparing an article about your country.
You have agreed to participate in a telephone interview about bakeries.

2 전화 인터뷰 – 편의 시설

한 라이프 스타일 잡지가 당신의 나라에 대한 기사를 준비 중이라고 가정해보세요.
당신은 제과점에 관한 전화 인터뷰에 참여하기로 동의하였습니다.

Q5 How often do you visit a bakery, and what do you usually buy there?
얼마나 자주 제과점에 가고 거기서 주로 무엇을 사나요?

A5 I visit a bakery once a week, and I usually buy some white bread.
저는 제과점에 일주일에 한 번 가고, 주로 식빵을 삽니다.

Q6 Do you prefer to go to a bakery in the morning or in the afternoon? Why?
오전과 오후 중 언제 제과점에 가는 것을 선호하나요? 그 이유는 무엇인가요?

A6 I prefer to go to a bakery in the morning. It's because I can buy fresh bread in the morning.
저는 오전에 가는 것을 선호합니다. 왜냐하면 오전에 신선한 빵을 구매할 수 있기 때문입니다.

Q7 Which of the following would be the most important factor when visiting a bakery?
– Location   – Wide selection   – Seating availability
다음 중 제과점에 갈 때 가장 중요한 점은 무엇인가요?
– 위치   – 넓은 선택지   – 좌석의 이용 가능 여부

A7 I think the wide selection would be the most important factor when visiting a bakery. First, my family likes different kinds of bread. Second, I easily get sick of the same kind of bread. Therefore, I think the wide selection would be the most important factor when visiting a bakery.
저는 제과점에 갈 때 넓은 선택지가 가장 중요한 점이라고 생각합니다. 첫째로, 우리 가족은 다양한 종류의 빵을 좋아합니다. 둘째로, 저는 같은 종류의 빵에 쉽게 질립니다. 따라서, 저는 넓은 선택지가 가장 중요한 점이라고 생각합니다.

TIP 대표 구문을 이용해서 다음과 같이 답변할 수 있습니다.
• I can share different kinds of bread with my family.
  저는 가족들과 다양한 종류의 빵을 나눠 먹을 수 있습니다.
• I'm interested in trying new bread.
  저는 새로운 빵을 먹어보는 것에 관심이 많습니다.

어휘   white bread 식빵   availability 이용 가능함   get sick of ~에 질리다

3 지인과의 대화 – 편의 시설

당신이 친구와 대화 중이라고 가정해보세요. 둘은 당신의 집 근처에 있는 카페에 대해서 이야기를 나누고 있습니다.

Imagine that you and your friend are having a conversation. You two are talking about cafés around your home.

Q5	**How many cafés are there near your home, and how often do you go to one?** 너의 집 근처에 카페가 몇 개나 있어? 그리고 거기에 얼마나 자주 가?
A5	There are many cafés near my home, and (I guess) I go to one twice a week. 우리 집 근처에는 카페가 많아. 그리고 거기에 일주일에 두 번 정도 가(는 것 같아).
Q6	**I see. What else do they sell besides beverages?** 그렇구나. 거기서는 음료 말고 또 뭘 팔아?
A6	Besides beverages, they sell various snack food such as a piece of cake or apple pie. 음료 말고도 조각 케이크나 사과 파이 같은 다양한 스낵을 판매해.
추가문장	I usually order some cheesecake. 나는 주로 치즈케이크를 주문해.
Q7	**I spend a lot of money on coffee. Do you have any good ideas for saving money on drinking coffee?** 나는 커피에 돈을 많이 써. 커피를 마시는데 드는 비용을 절약할 좋은 방법이 있을까?
A7	I have some good ideas. First, you need to go to a cheaper coffee shop (instead of luxurious cafés). Second, you can buy instant coffee instead. 좋은 생각이 있어. 첫째로, (고급 카페 대신에) 더 저렴한 커피 전문점에 가야해. 둘째로, 인스턴트 커피를 구매하면 돼.
추가문장	The quality of instant coffee is getting better. 인스턴트 커피의 질이 점점 좋아지고 있어.

( ) = 생략 가능

어휘 **besides** ~외에 **beverage** 음료 **luxurious** 고급의

4 전화 인터뷰 – 생활 방식

Imagine that a travel magazine is doing a survey in your area. You have agreed to participate in an interview about buying souvenirs.

한 여행 잡지가 당신이 살고 있는 지역에서 설문조사를 하고 있다고 가정해보세요. 당신은 기념품 구매에 대한 인터뷰에 참여하기로 동의하였습니다.

Q5 When did you last receive a travel souvenir from your friend or family, and what was it?
언제 마지막으로 가족이나 친구로부터 여행 기념품을 받았나요? 그리고 그것은 무엇이었나요?

A5 I last received a travel souvenir last month from my friend, and it was a large magnet.
저는 지난달에 친구에게 여행 기념품을 받았으며 그것은 커다란 자석이었습니다.

추가문장 He bought it in Japan.
그는 그것을 일본에서 구매했습니다.

Q6 What kind of souvenirs would you like to buy while traveling? Why?
여행을 하는 동안 어떤 종류의 기념품을 구매하고 싶나요? 그 이유는 무엇인가요?

A6 I would like to buy some key rings because they're convenient to carry (and the price is reasonable).
저는 열쇠고리를 구매하고 싶습니다. 그 이유는 가지고 다니기 편리하고 (가격이 합리적이기) 때문입니다.

Q7 Do you prefer to buy souvenirs for your family or friends during your trip? Why?
당신은 여행 중에 가족이나 친구를 위해 기념품을 사는 것을 선호하나요? 그 이유는 무엇인가요?

A7 I don't prefer to buy souvenirs for my family or friends during a trip. First, it is very inconvenient to carry them while traveling. Second, I think the price of souvenirs is too expensive. Therefore, I don't prefer to buy souvenirs for my family or friends during a trip.
저는 여행 중에 가족이나 친구를 위해 기념품을 사는 것을 선호하지 않습니다. 첫째로, 여행 중에 그것을 가지고 다니기 너무 불편합니다. 둘째로, 저는 기념품의 가격이 너무 비싸다고 생각합니다. 따라서 저는 여행 중에 가족이나 친구를 위해 기념품을 사는 것을 선호하지 않습니다.

> **TIP** 대표 구문을 이용해서 다음과 같이 답변할 수 있습니다.
> • It is expensive to buy souvenirs at tourist attractions.
>   관광지에서 기념품을 사는 것은 비쌉니다.

( ) = 생략 가능

어휘 **magnet** 자석 **key ring** 열쇠고리 **reasonable** 합리적인

5 지인과의 대화 – 편의 시설

당신이 친구와 전화 통화를 하고 있다고 가정해보세요. 당신은 동네의 미용실에 대한 대화를 하고 있습니다.

Imagine that you are talking on the telephone with a friend.
You are having a conversation about hair salons in your town.

Q5 Where is your favorite hair salon, and how far is it from your home?
네가 가장 좋아하는 미용실은 어디이고, 집에서 얼마나 떨어져 있어?

A5 My favorite hair salon is 'Hair News', and it takes about 10 minutes to go there on foot.
내가 가장 좋아하는 미용실은 '헤어 뉴스'이고 걸어서 10분 거리에 있어.

Q6 Do you have a plan to get a new hairstyle in the near future? Why or why not?
조만간 새로운 머리스타일을 해 볼 계획이 있어? 그 이유는 뭐야?

A6 I have a plan to get a new hairstyle in the near future. It's because I'm sick of my hairstyle.
조만간 새로운 머리스타일을 해 볼 생각이야. 왜냐면 지금의 머리스타일이 지겹거든.

추가문장 I'd like to have a perm.
파마를 해 보고 싶어.

Q7 I want to change my hairstyle. Can you recommend a hair salon for me? Please tell me why you like the place too.
내 머리스타일을 바꾸고 싶어. 미용실을 추천해 줄 수 있어? 왜 거기가 괜찮은 곳인지도 알려줘.

A7 (As I said before,) I recommend a hair salon called 'Hair News'. First, there are many skilled hairdressers (and the latest facilities). Second, you can get excellent customer service.
(아까도 말했듯이) 나는 '헤어 뉴스'라는 미용실을 추천해. 먼저, 거기에는 많은 숙련된 미용사와 (최신 시설이) 있어. 또한, 훌륭한 고객 서비스를 받을 수 있어.

추가문장 The hairdressers are very kind to the customers.
미용사분들은 고객에게 매우 친절해.

( ) = 생략 가능

어휘 **on foot** 걸어서 **be sick of** ~에 지겨움을 느끼다 **skilled** 숙련된 **latest facilities** 최신 시설

6 전화 인터뷰 – 편의 시설

캐나다의 한 마케팅 회사가 당신이 살고 있는 지역에서 설문조사를 하고 있다고 가정해보세요. 당신은 학교나 직장의 구내식당에 대한 전화 인터뷰에 참여하기로 동의하였습니다.

Imagine that a Canadian marketing firm is doing research in your area. You have agreed to participate in a telephone interview about the cafeteria at your school or work.

Q5 How frequently do you have lunch in the cafeteria at your school or work, and what do you usually eat?

학교나 직장에 있는 구내식당에서 얼마나 자주 점심 식사를 하며 주로 무엇을 먹나요?

A5 I have lunch in the cafeteria at work almost every day, and I usually eat Korean food (such as bibimbap and kimchi stew).

저는 거의 매일 직장 내 구내식당에서 점심을 먹고 주로 (비빔밥이나 김치찌개 같은) 한국 음식을 먹습니다.

Q6 What is the most popular menu item at the cafeteria in your school or work?

학교나 직장 내 구내식당에서 가장 인기있는 메뉴는 무엇인가요?

A6 The most popular menu at the cafeteria is kimchi stew. It's because the price is reasonable and the taste is very good.

구내식당에서 가장 인기있는 메뉴는 김치찌개입니다. 왜냐하면 가격이 합리적이고 맛도 매우 좋기 때문입니다.

Q7 Which of the following do you think is the most necessary improvement for the cafeteria at your school or work? Why?
- A variety of menu choices - Customer service - The amount of seating

다음 중 학교나 직장에 있는 구내식당에 가장 필요하다고 생각하는 개선점은 무엇인가요? 그 이유는 무엇인가요?
- 다양한 메뉴   - 고객 서비스   - 좌석 수

A7 The most necessary improvement for the cafeteria at my work is customer service. First, they need to be kinder to the customers. Second, they should clean the cafeteria more often.

저희 직장에 있는 구내식당에서 가장 필요하다고 생각하는 개선점은 고객 서비스입니다. 첫째로, 그들은 고객에게 더 친절해야 합니다. 둘째로, 그들은 구내식당을 좀 더 자주 청소해야 합니다.

추가문장 Sometimes, the tables and floor are messy. Therefore, I think the most important feature for the cafeteria at my work is customer service.

테이블과 바닥이 가끔씩 지저분합니다.
따라서, 저희 직장에 있는 구내식당에서 가장 중요하다고 생각하는 것은 고객 서비스입니다.

( ) = 생략 가능

어휘 stew 찌개 availability 이용 가능함 seating 자리, 좌석 messy 지저분한

Respond to questions using information provided

핵심 이론

<table>
<tr><td colspan="2" align="center">워싱턴 포스트
동계 인턴 오리엔테이션
1월 14일 수요일, 회의실 A</td></tr>
<tr><td>9:00 - 9:15 A.M.</td><td>환영사 (피터 샌더스, 편집장)</td></tr>
<tr><td>9:15 - 10:00 A.M.</td><td>회사 소개와 운용</td></tr>
<tr><td>10:00 -10:30 A.M.</td><td>투어: 편집실 (화요일로 재조정)</td></tr>
<tr><td>10:30 - 11:30 A.M.</td><td>발표: 복리후생 제도 소개</td></tr>
<tr><td>11:30 A.M. - 12:30 P.M.</td><td>부장단 회의</td></tr>
<tr><td>12:30 - 1:30 P.M.</td><td>점심 식사</td></tr>
<tr><td>1:30 - 2:30 P.M.</td><td>발표: 소통하는 글쓰기
(파멜라 카메론, 편집자)</td></tr>
<tr><td>2:30 - 3:30 P.M.</td><td>투어: 출판 사무실, 인쇄실</td></tr>
</table>

어휘 operation 운용, 작동 benefit package 복리후생 제도 communicative 소통하는

템플릿 학습

템플릿 8 행사 일정

<table>
<tr><td colspan="2" align="center">연례 마케팅 컨퍼런스
8월 11일 화요일
레드 크릭 호텔</td></tr>
<tr><td>10:00 - 10:30 A.M.</td><td>발표: 마케팅 동향 (모니카 하디)</td></tr>
<tr><td>10:30 - 11:30 A.M.</td><td>시연: SNS 마케팅</td></tr>
<tr><td>11:30 A.M. - 12:00 P.M.</td><td>재무보고서 관련 질의응답
(세라 톰슨)</td></tr>
<tr><td>12:00 P.M. - 1:00 P.M.</td><td>점심 식사 (*제공 안됨)</td></tr>
<tr><td>1:00 - 2:00 P.M.</td><td>초청 강연: 차세대 마케팅
(마코토 미야기, 도쿄 마케팅 스튜디오)</td></tr>
<tr><td>2:00 - 3:00 P.M.</td><td>마케팅 계획 관련 질의응답
(모니카 하디)</td></tr>
</table>

어휘 annual 연례의 financial report 재무보고 generation 세대

연습 문제

7차 연례 국제법 세미나	
9월 16일 화요일, 회의실 **B**	
등록 비용: 25달러 (10일 이후 등록 시 30달러)	
9:00 - 10:00 A.M.	개회사: 법과 윤리
10:00 - 11:00 A.M.	워크샵: 국제 무역법
정오 - 1:00 P.M.	점심 뷔페
1:00 - 2:00 P.M.	발표: 국제 부동산 계약
2:00 - 3:00 P.M.	영상: 국제법에 대한 사실들
3:00 - 4:00 P.M.	워크샵: 국제 법률 분쟁

어휘   international law 국제법   opening remarks 개회사   legal 법률과 관련된   dispute 분쟁

Question 8 빈출 유형

Q What room will the seminar be in? And what time does it start?
세미나가 어디에서 열리나요? 그리고 몇 시에 시작하나요?

A The seminar will be held in conference room B at 9 A.M.
세미나는 회의실 B에서 오전 9시에 시작할 것입니다.

> **TIP** 시간과 장소 정보는 한 문장으로 함께 설명해주세요.

Q What time do the opening remarks begin and what are they about?
개회사가 몇 시에 시작하며 그것은 어떤 내용인가요?

A The opening remarks will be held at 9 A.M. and they are about law and ethics.
개회사는 오전 9시에 열릴 것이며, 법과 윤리에 대한 내용입니다.

Question 9 빈출 유형

Q	I want to attend the presentation on international real estate contracts. That is scheduled in the morning, right? 국제 부동산 계약에 대한 발표에 참여하고 싶습니다. 그것은 아침에 예정되어 있지요?

A	I'm sorry, but you have the wrong information. The presentation is scheduled at 1 P.M. 죄송하지만 잘못 알고 계십니다. 그 발표는 오후 1시에 예정되어 있습니다.

Q	I heard that the registration fee is $25 if I sign up on the day the seminar starts. Right? 세미나 당일에 등록하면 비용이 25달러라고 들었습니다. 맞나요?

A	I'm sorry, but you have the wrong information. If you sign up on the day the seminar starts, it is $30. 죄송하지만 잘못 알고 계십니다. 세미나 당일에 등록하면 30달러입니다.

TIP 답변이 어려우면 정보가 잘못된 것을 알려준 뒤, it is $30만 말해주세요.

Question 10 빈출 유형

Q	I want to participate in all the workshops. Can you tell me all the details about the workshops? 저는 모든 워크샵 일정에 참여하고 싶습니다. 워크샵 관련 모든 세부사항을 알려 주시겠어요?

A	There are two scheduled workshops. First, a workshop on international trade law is scheduled from 10 to 11 A.M. Second, there will be another workshop on international legal disputes from 3 to 4 P.M. 두 가지 예정된 세션이 있습니다. 첫째로, 국제 무역법에 대한 워크샵이 오전 10시부터 11시까지 예정되어 있습니다. 둘째로, 국제 법률 분쟁에 대한 워크샵이 오후 3시부터 4시까지 있을 것입니다.

TIP 답변 시간이 부족하면 각 항목의 시작 시간만 말해주세요.

템플릿 9 개인 일정

닉 화이트, 헤어&메이크업 아티스트

7월 17일 수요일

12:30 P.M.	파리 출발 (프랑스 항공 513편)
3:00 P.M.	로마 도착 (아리스턴 호텔 숙박)
6:00 P.M.	인스타일 잡지의 로라 쿡과 저녁 식사

7월 18일 목요일

9:00 A.M. – 5:00 P.M.	ALC 사진 컨퍼런스 (앤더슨 컨퍼런스 센터)
7:30 P.M. – 9:00 P.M.	브라이드 잡지사 출간 기념 파티 (래디슨 호텔)

7월 19일 금요일

10:00 A.M. – 11:30 A.M.	~~메이크업 시연~~, 취소됨
3:00 P.M.	로마 출발 (프랑스 항공 507편)
5:30 P.M.	파리 도착

어휘 **depart** 출발하다 **arrive** 도착하다

연습 문제

터너 출판사
폴 젠슨 일일 일정

오전 8:30 – 9:30	**회의** (신디 리, 광고 대리인)
오전 9:30 – 9:45	**전화 통화** (매튜 에릭슨, 여행사 직원)
	– 컨퍼런스 출장 세부 정보 확정하기
오전 9:45 – 10:45	**작가와의 회의**
	9:45 A.M. – 10:15 A.M. 카렌 파커
	10:15 A.M. – 10:45 A.M. 제이 프랭클린
오전 11:00 – 정오	**회의** (디자인팀)
	– 책 표지 디자인 확정하기
정오 – 오후 1:00	**점심 식사**
오후 1:00 – 1:45	**면접** ~~(마리아 노바, 부편집자직)~~ ~~취소됨~~
오후 1:45 – 3:00	**회의** (스펜서 밀러, 컨퍼런스 공동 발표자)

어휘 **confirm** 확정하다

Question 8 빈출 유형

Q	I have a meeting tomorrow morning. What time does it start and who is it with? 저는 내일 아침에 회의가 있습니다. 몇 시에 시작하고 누구와 함께 하나요?
A	You are going to <u>have a meeting with Cindy Lee, the advertising agent, at 8:30 A.M.</u> 당신은 오전 8시 30분에 광고 대리인 신디 리와 회의를 할 것입니다.

Question 9 빈출 유형

Q	I think I have a job interview with someone tomorrow. What time is it scheduled? 내일 누군가와 면접을 진행하는 것으로 알고 있습니다. 몇 시에 예정되어 있나요?
A	Actually, the interview scheduled at 1 P.M. <u>has been canceled</u>. 사실, 오후 1시에 예정된 면접은 취소되었습니다.
Q	I'm planning to have lunch with a client, so I'd like to leave before noon if there isn't anything scheduled. Will it be possible? 고객과 함께 점심 식사를 할 예정이라 특별한 일정이 없다면 12시 전에 출발하고 싶습니다. 가능할까요?
A	Unfortunately, you are going to <u>have a meeting with the design team from 11 A.M. to noon to confirm book cover designs</u>. 안타깝게도, 당신은 디자인팀과 오전 11부터 정오까지 표지 디자인을 결정하기 위한 회의를 할 예정입니다. **TIP** 일정의 목적은 시간 정보 뒤에 to부정사(to + 동사원형)를 사용해서 말해주세요.

Question 10 빈출 유형

Q	Can you please tell me all the plans related to the conference? 컨퍼런스에 관련된 모든 일정을 알려주실 수 있나요?
A	There are <u>two scheduled appointments</u>. First, <u>you are going to call Matthew Ericson, the travel agent, at 9:30 A.M. to confirm your conference travel details.</u> Second, <u>you are scheduled to have a meeting with Spencer Miller, the conference copresenter, at 1:45 P.M.</u> 두 가지 일정이 있습니다. 첫째로, 당신은 오전 9시 30분에 컨퍼런스 출장의 세부 정보를 확정하기 위해 여행사 직원인 매튜 에릭슨과 통화할 것입니다. 둘째로, 당신은 오후 1시 45분에 컨퍼런스 공동 발표자인 스펜서 밀러와 회의를 할 것입니다.

템플릿 10 이력서

알버트 베커

벨몬트가 625, 웨스트 바빌론
(041)936-1918 albert13@martin.com

희망 직위 **선호 지점**	선임 회계사 프리포트 지점		
경력	베이 쇼어 기업 스토이 회계 에이전시	수석 회계사 보조 회계사	2016-현재 2010-2015
학력	헌팅턴 대학교	회계학 학사	2010
자격증	공인 회계사 자격증 보유 지역 금융 규정 및 정책 자격증 보유		

어휘   certified 공인의   regulation 규정, 규제

연습 문제

캐시 쿠퍼

조지가12, 스프링 힐 시티, 캔버라
071-335-5981
cooperstown@coles.com

희망하는 직위	편집 관리자		
학력	퀸즐랜드 대학교 – 석사 학위 (영어학) 리버데일 대학교 – 학사 학위 (영어학)	2013 2011	
업무 경력	카린데일 출판사, 책임 편집자 웰러스 기업, 보조 편집자	2018-현재 2013-2018	
특이사항	원어민 수준의 프랑스어 구사 전문적인 작문과 편집 자격증 보유		

어휘   fluency 유창성, 능숙도

Question 8 빈출 유형

Q	**Where did she earn her bachelor's degree, and in what year did she receive it?** 그녀는 학사 학위를 어느 대학에서 몇 년도에 받았나요?
A	She <u>received a bachelor's degree in English at Riverdale University in 2011</u>. 그녀는 리버데일 대학에서 영어학 학사 학위를 2011년도에 받았습니다.

Question 9 빈출 유형

Q	**The person we need to hire will have to edit our materials in French.** **Would that be a problem for Ms. Cooper?** 우리가 고용할 사람은 프랑스어로 된 자료를 편집해야 합니다. 이것이 쿠퍼씨에게 문제가 될까요?
A	I think she is a suitable applicant because <u>she is fluent in French</u>. 저는 그녀가 적합한 지원자라고 생각하는데, 왜냐하면 그녀가 프랑스어를 유창하게 구사할 수 있기 때문입니다.
Q	**The position she is applying for requires professional editing skills.** **Do you think she is suitable for the job?** 그녀가 지원한 직위는 전문적인 편집 능력을 필요로 합니다. 그녀가 이 일에 적합하다고 생각하나요?
A	I think she is a suitable applicant because <u>she received a certificate of professional writing and editing</u>. 저는 그녀가 적합한 지원자라고 생각하는데, 왜냐하면 그녀가 전문적인 작문과 편집에 대한 자격증을 보유하고 있기 때문입니다.

Question 10 빈출 유형

Q	**Will you please give me all the details about her employment history?** 그녀의 근무 경력에 대해서 자세히 말해 주시겠어요?
A	She has two different kinds of work experience. First, <u>she worked at Wellers Enterprises as an assistant editor</u> from 2013 to 2018. And then, <u>she has been working at Carindale Publishing as a head editor</u> since 2018. 그녀는 두 가지 업무 경력이 있습니다. 첫째로, 그녀는 웰러스 기업에서 보조 편집자로 2013년부터 2018년까지 근무했습니다. 그리고 나서, 카린데일 출판사에서 2018년부터 수석 편집자로 근무하고 있습니다. **TIP** 동사의 시제와 근무 기간에 유의해서 답변해주세요.

템플릿 11 **면접 일정**

블랙스톤 투자 회사			
채용 면접 일정			
3월 21일 월요일, 오전 9시 – 오후 2시			
시간	이름	직위	장소
9:00	린다 올슨	영업 사원	회의실
9:30	윌 콜먼	영업 사원	취소됨
10:00	데이브 로빈슨	행정 보조	회의실
10:30	앨런 리	재무 부장	107호
11:00	타일러 에반스	영업 사원	회의실
11:30	매디슨 브리지	재무 분석가	105호
1:30	피터 그리피스	마케팅 부장	105호

어휘 sales representative 영업 사원, 판매 대리인 administrative 행정의, 관리의 analyst 분석가

연습 문제

도라의 주방			
인사부 – 채용 면접 일정			
4월 16일 월요일, 회의실 C			
시간	지원자	직위	출신 학교
9:00 – 9:30	애슐리 펜로즈	영업 사원	필립스 대학교
9:30 – 10:00	쉐린 리	연구 관리자	레이크 하트 대학교
10:00 – 10:30	닥스 넬슨	영업 사원	잭슨빌 대학교
10:30 – 11:00	다니엘 헤리스	데이터 분석가 취소됨	올렌도 대학교
2:00 – 2:45	베키 커리	영업 관리자	사우스 탬파 대학교
3:00 – 3:45	스티브 존스	고객 서비스 담당자	윌슨 대학교
4:00 – 4:45	제니퍼 드레이크	제품 연구원	캠벨 공과 대학교

어휘 sales associate 영업 사원 research 조사 customer service representative 고객 서비스 상담원

Question 8 빈출 유형

Q	What time does the first interview start and where do the interviews take place? 첫 번째 면접은 몇 시에 시작하며, 어디에서 진행되나요?
A	The first interview <u>will be held</u> in meeting room C at 9 A.M. 첫 번째 면접은 회의실 C에서 오전 9시에 진행됩니다.

Question 9 빈출 유형

Q	I'm going to interview Dax Nelson at 10 A.M. and I think I need 30 more minutes to interview him. Is it possible to extend the interview time? 오전 10시에 닥스 넬슨의 면접을 진행할 예정인데, 30분이 더 필요할 것 같습니다. 면접 시간 연장이 가능할까요?
A	Actually, the interview <u>scheduled at 10:30 has been canceled.</u> <u>So, it is possible to extend the interview time.</u> 사실, 10시 30분에 예정되었던 면접이 취소되었습니다. 따라서 면접 시간 연장이 가능합니다.
Q	I know we've had some good employees from Wilson University. We don't have any applicants from Wilson, right? 윌슨 대학을 나온 좋은 직원들이 있는 것으로 알고 있습니다. 윌슨 대학 출신 지원자는 없는거죠, 그렇죠?
A	I'm sorry, but you have the wrong information. <u>Steve Johns is from Wilson</u> <u>University.</u> 죄송하지만 잘못 알고 계십니다. 스티브 존스가 윌슨 대학을 졸업했습니다.

Question 10 빈출 유형

Q	Could you please tell me the details about applicants who applied for the managerial positions? 관리직에 지원한 지원자들에 대해서 자세히 알려주시겠어요?
A	There are two scheduled interviews. First, you will interview <u>Sherin Lee for the research manager position</u> at 9:30. She graduated <u>from Lake Hart College.</u> Second, there will be <u>another interview</u> with Becky Currie, who is applying for the <u>sales manager position</u> at 2. She <u>studied at South Tampa College.</u> 2개의 면접 일정이 있습니다. 첫째로, 당신은 연구 관리자 직위에 지원하는 쉐린 리를 9시 30분에 면접 볼 것입니다. 그녀는 레이크 하트 대학교를 졸업했습니다. 둘째로, 영업 관리자 직위에 지원하는 베키 커리의 면접이 2시에 있습니다. 그녀는 사우스 탬파 대학교에서 공부했습니다.

로체스터 피트니스 센터

11월 그룹 운동 수업 (11월 4일 – 30일)

등록 마감: 11월 2일

수업	요일	시간	강사
스피닝	매주 월요일	오후 6-7	크레이그 핸슨
순환 운동	매주 화요일	오후 6-7	애니 월
자유 근력 운동	매주 수요일	오후 7:30-8:30	–
피트니스 에어로빅	매주 목요일	오후 6-7	애니 월
피트니스 댄스	매주 금요일	오후 8-9	–

회원: 무료, 비회원: 수업당 60달러

어휘 **deadline** 마감 일자 **circuit** 순환 **weight lifting** 근력 운동

연습 문제

왓퍼드 아트센터

수업일: 6월 15일 – 8월 20일

비용: 수업당 300달러 (토요일 수업 350달러)

수업	요일	시간
연필화	매주 월요일	오후 1 – 4시
사진 편집용 컴퓨터 소프트웨어	매주 화요일	오전 9 – 11시
점토 조각 기법	매주 목요일	정오 – 오후 2시
수채화	매주 금요일	오후 1 – 4시
컴퓨터 애니메이션 기본반	매주 토요일	오전 10시 – 정오
유화	매주 일요일	정오 – 오후 3시

* 접수 마감일 : 6월 3일

어휘 **pencil drawing** 연필화 **clay** 점토 **sculpture** 조각, 조각품

Question 8 빈출 유형

Q When do the classes begin and when is the deadline for registration?
수업은 언제 시작하며, 등록 마감일은 언제인가요?

A The classes will begin <u>on June 15th</u> and you need to register by <u>June 3rd</u>.
수업은 6월 15일에 시작하며, 6월 3일까지 등록해야 합니다.

Question 9 빈출 유형

Q I heard that the cost of each class is $300. Right?
각 수업의 강의료가 300달러라고 들었어요. 맞나요?

A I'm sorry, but you have the wrong information. It is <u>$350 for Saturday classes</u>.
죄송하지만 잘못 알고 계십니다. 토요일 강의는 350달러입니다.

> **TIP** 다음과 같이 말할 수도 있습니다. It is $350 if you take Saturday classes.

Q I heard an oil painting class will be held on Saturday mornings. Right?
유화 수업이 매주 토요일 오전에 열린다고 들었어요. 맞나요?

A I'm sorry, but you have the wrong information.
<u>The oil painting class</u> will be held <u>on Sunday afternoons</u>.
죄송하지만, 잘못 알고 계십니다. 유화 수업은 매주 일요일 오후에 열립니다.

Question 10 빈출 유형

Q I'm interested in art classes that use computers.
Could you give me all the details of the classes that involve computers?
저는 컴퓨터를 사용하는 미술 수업에 관심이 있습니다.
컴퓨터와 관련된 모든 수업의 세부 사항을 말해 주시겠어요?

A There are two scheduled classes.
First, <u>you can take a photo-editing computer software class</u> on Tuesdays from 9 to 11 A.M.
Second, <u>computer animation basics</u> is scheduled <u>on Saturdays from 10 A.M. to noon.</u>
2개의 예정된 수업이 있습니다.
첫째로, 매주 화요일 오전 9시부터 11시까지 사진 편집용 컴퓨터 소프트웨어 수업을 들을 수 있습니다.
둘째로, 컴퓨터 애니메이션 기본반 수업이 매주 토요일 오전 10시부터 정오까지 예정되어 있습니다.

> **TIP** 매주 진행되는 수업의 경우, 요일에 s를 붙여주세요. every + 단수명사 표현을 이용해서 on every Saturday 라고 할 수도 있습니다.

실전 연습

웸블리 교육 회의
로즈 힐 호텔
5월 4일 토요일

토요일 오전 일정 오전 10시 – 오후 12시 (3가지 선택지)

A. 기조 연설 (협회 회장, 앨리스 캐머런)	A홀
B. 교실에서 발생하는 어려움에 대처하기 (부회장, 프레드 잭슨)	C홀
C. 실험 안전 정책 (월터 베이커)	D홀

토요일 오후 일정 오후 2시 – 4시 (3가지 선택지)

A. 시간 관리 (켈리 화이트)	A홀
B. 실험을 위한 도구와 시설 (조나단 그린)	C홀
C. 선생님의 역량 강화하기 (협회 회장, 앨리스 캐머런)	D홀

*등록 시 오전과 오후 일정 중 한 가지씩 선택해야 함

1 행사 일정

Narration: Hi, my name is Julia Parker and I'm interested in the Teaching Conference. Before registering for the conference, I'd like to check on some information.
안녕하세요, 제 이름은 줄리아 파커이고, 교육 회의에 관심이 있습니다. 회의에 등록하기 전에 몇 가지 정보를 확인하고 싶습니다.

Q8 When and where will the conference take place?
회의는 언제, 그리고 어디서 열리나요?

A8 The conference will be held on Saturday, May 4th, at the Rose Hill Hotel.
회의는 5월 4일 토요일 로즈 힐 호텔에서 열릴 것입니다.

Q9 I heard the vice president is giving the keynote speech. Do I have the right information?
부회장이 기조 연설을 한다고 들었습니다. 이게 맞는 정보인가요?

A9 I'm sorry, but you have the wrong information. It will be conducted by the association president, Alice Cameron.
죄송하지만 잘못 알고 계십니다. 그것은 협회 회장인 앨리스 캐머런으로부터 진행될 것입니다.

Q10 I'm interested in teaching children about scientific experiments. Could you tell me about all the sessions that will be helpful to me?
저는 아이들에게 과학 실험을 가르치는 것에 관심이 있습니다. 제게 도움이 될 만한 세션을 모두 말해주실 수 있나요?

A10 There are two scheduled sessions. First, Walter Baker will give a presentation on experiment safety policies on Saturday morning at 10 A.M. in hall D. Second, tools and facilities for experimentation will be conducted by Jonathan Green on Saturday afternoon at 2 P.M. in hall C.
두 가지 예정된 세션이 있습니다. 먼저 월터 베이커는 토요일 오전 10시에 D홀에서 실험 안전 정책에 대한 발표를 할 것입니다. 둘째로 실험을 위한 도구와 시설이 토요일 오후 2시에 C홀에서 조나단 그린으로부터 진행될 것입니다.

TIP 주제의 앞에 speech나 presentation을 더해주세요.

어휘   **option** 선택지   **keynote speech** 기조 연설   **deal with** 처리하다, 다루다   **experiment** 실험   **enhance** 향상시키다, 높이다

애나 펠턴 일정표

레인포레스트 재단 총괄 관리자

9월 31일 월요일

오전 8:15	시애틀 출발 (제트라이트 항공, 항공편 161)
오전 10:30	포틀랜드 도착 (픽업: 회사 차량)
정오	루크 윌리엄스와 점심 식사

10월 1일 화요일 **환경법 컨퍼런스**

오전 9:00 – 10:00	환영 조찬
오전 10:30 – 오후 12:00	워크샵 (정부 정책 이해하기)
오후 2:00-3:30	강의하기 (수질 정화 기술)

10월 2일 수요일

오전 9:00	포틀랜드 출발 (제트라이트 항공, 항공편 122)
오전 11:20	시애틀 도착

2 개인 일정

Narration: Hi, this is Anna Felton. I'm afraid I've misplaced my itinerary for my trip to the Environmental Law Conference in Miami next week. So, I need some information.

안녕하세요, 저는 애나 펠턴입니다. 다음 주에 마이애미에서 있을 환경법 컨퍼런스 참여를 위한 제 일정표를 잃어린 것 같습니다. 그래서 정보가 좀 필요합니다.

Q8 What time do I leave on Monday and which airline am I flying on?
저는 월요일 몇 시에 출발하고 어느 항공사를 이용하나요?

A8 You are going to depart Seattle at 8:15 A.M. on Jetlite Airways flight 161.
당신은 제트라이트 항공 161편으로 오전 8시 15분에 시애틀을 출발할 것입니다.

Q9 During my visit to Portland, I'd like to visit the local office on Wednesday afternoon. Will it be possible?
포틀랜드를 방문하는 동안 수요일 오후에 현지 사무실을 방문하고 싶습니다. 가능할까요?

A9 Unfortunately, you are going to depart Portland at 9 A.M. So, I'm afraid it is not possible.
안타깝게도 당신은 오전 9시에 포틀랜드를 떠날 예정입니다. 그래서 그것은 불가능할 것 같습니다.

> **TIP** 두 번째 문장은 생략 가능합니다.

Q10 Could you give me the details of my schedule during Tuesday's conference?
화요일 컨퍼런스의 세부 일정을 말해줄 수 있나요?

A10 There are three scheduled sessions. First, a welcome breakfast will be served at 9 A.M. Second, you are going to attend a workshop on understanding government policies at 10:30. Lastly, you are scheduled to give a lecture on water purification technology at 2.
예정된 세션은 3개입니다. 첫째로, 환영 조찬이 오전 9시에 제공될 것입니다. 둘째로, 당신은 10시 30분에 정부 정책 이해하기에 대한 워크샵에 참여할 것입니다. 마지막으로, 당신은 2시에 수질 정화 기술에 대한 강연을 할 예정입니다.

> **TIP** 음식이 제공된다는 의미의 'will be served'을 학습해두세요.

어휘 itinerary 여행 일정표 environmental 환경의

앨리슨 매켄리

희망 직위 레코드 리뷰 잡지 전속 작가

업무 경력
월 튠즈 잡지 – 음악 평론가 (2018~현재)
재스퍼 위클리 – 보조 편집자 (2017~2018)

학력 언론학 학사 (콜든 대학교, 2017)

특기 유창한 스페인어, 중급 수준의 프랑스어

자격증 전문 웹사이트 디자인 (전국 뉴스 협회로부터 수여)

3 이력서

Narration: Hi, it's Jason. I am supposed to interview Alison McHenry in a few minutes. But I left her résumé in my office.
I was hoping you could answer some questions for me.
안녕하세요, 저는 제이슨입니다. 저는 잠시 후에 앨리슨 매켄리의 면접을 볼 예정인데, 그녀의 이력서를 사무실에 두고 왔습니다. 제 질문에 대답해주시면 감사하겠습니다.

Q8 What college did she attend and what did she study?
그녀는 어느 대학을 나왔고 무엇을 공부했나요?

A8 She received a bachelor's degree in journalism at Colden College in 2017.
그녀는 2017년에 콜든 대학에서 언론학 학사 학위를 받았습니다.

Q9 We are looking for a writer who knows something about creating web pages. Do you think this will be a problem for her?
우리는 웹사이트 제작에 대해 잘 알고 있는 작가를 찾고 있습니다. 이 점이 그녀에게 문제가 될까요?

A9 I think she is a suitable applicant because she has a certification in professional web design. It was awarded by the National News Association.
그녀는 전문 웹사이트 디자인 자격증을 가지고 있기 때문에 적합한 지원자라고 생각합니다. 그 자격증은 전국 뉴스 협회로부터 수여되었습니다.

> **TIP** 두 번째 문장은 생략 가능합니다.

Q10 Can you tell me what her work history has been up to now?
현재까지 그녀의 근무 이력에 대해 말해줄 수 있나요?

A10 She has two different kinds of work experience.
First, she worked at Jasper Weekly as an assistant copy editor from 2017 to 2018. And then, she has been working at Wall Tunes Magazine as a music reviewer since 2018.
그녀는 두 가지 업무 경력이 있습니다. 먼저, 그녀는 재스퍼 위클리에서 보조 편집자로 2017년부터 2018년까지 근무했습니다. 그 후, 그녀는 월 튠즈 잡지사에서 음악 평론가로 2018년부터 근무하고 있습니다.

어휘   desired 희망하는   journalism 언론학   fluent 유창한   award 수여하다

모두의 법률 사무소

채용 면접 일정 – 10월 7일 화요일

시간	지원자	직위	특이사항
오전 9:45	게리 맥스웰	접수 담당자	법대 3학년
오전 10:30	자넷 앨런	법률 보조	석사 학위 (법학)
오전 11:45	케런 윌슨	변호사	2년 경력 *취소됨*
오후 1:00	케인 스미스	법률 보조	2년 경력
오후 2:15	새라 트레비스	변호사	2년 경력
오후 3:00	니콜 워커	접수 담당자	4년 경력

4 면접 일정

Narration: Hello, this is Kerry Shannon. I will be conducting interviews tomorrow but I left my schedule sheet on my desk. May I ask you some questions please?

안녕하세요, 저는 케리 섀넌입니다. 내일 면접을 진행하는데 일정표를 책상에 두고 왔습니다. 질문을 좀 해도 될까요?

Q8
Who is the first interview and what position is he or she applying for?
첫 번째 면접자는 누구이며, 무슨 직위에 지원했나요?

A8
You will interview Gary Maxwell for the receptionist position at 9:45 A.M.
당신은 접수 담당자 직위에 지원하는 게리 맥스웰을 오전 9시 45분에 면접 볼 것입니다.

> TIP 8번 문제에서 가끔 첫 번째 면접 일정에 대해 질문하기도 합니다.
> 10번 문제용 템플릿을 사용해서 답해주세요.

Q9
I understand we'll be interviewing two candidates who applied for the lawyer position. Right?
변호사직에 지원한 두 명의 지원자를 면접 볼 예정이라고 알고 있습니다. 맞나요?

A9
I'm sorry, but you have the wrong information. The interview scheduled at 11:45 has been canceled. So there's only one interview.
죄송하지만 잘못 알고 계십니다. 11시 45분에 예정되었던 면접은 취소되었습니다. 따라서 면접은 하나뿐입니다.

Q10
Could you please tell me all the details of people who applied for the legal assistant position in detail?
법률 보조직에 지원한 사람들에 대해 자세히 말씀해 주실 수 있나요?

A10
There are two scheduled interviews. First, you will interview Janet Allen at 10:30 A.M. She received a master's degree in law. Second, there will be another interview with Kane Smith at 1 P.M. He has 2 years' experience.

면접이 두 차례 예정되어 있습니다. 먼저, 당신은 제인 앨런을 오전 10시 30분에 면접 볼 예정입니다. 그녀는 법학 석사 학위를 받았습니다. 둘째로 케인 스미스의 면접이 오후 1시에 있습니다. 그는 2년의 경력이 있습니다.

> TIP 이번 문제의 경우 직위를 템플릿에 포함하지 않아도 됩니다.

어휘 receptionist 접수 담당자

카터 비즈니스 대학 저녁 수업 일정

봄 학기: 3월 13일 – 5월 12일
장소: 주 강당
등록비: 과정당 200달러 (주말 과정은 250달러)

수업	일정	강사
사업 자금 지원하기	매주 월요일 오후 6–8	에린 벤슨
세금 환급: 기본 사항 이해하기	매주 화요일 오후 1–3	카산드라 브래드쇼
상업 신용 이해하기	매주 수요일 오후 6–8	트로이 딕슨
사업 확장 방안	매주 목요일 오후 6–8	헬레나 셰퍼드
새로운 제품 & 서비스 출시하기	매주 금요일 오후 2–4	브리트니 윌리엄스
신사업 시작을 위한 전략	~~매주 토요일 오후 6–8~~ 매주 금요일 오후 6–8	코트니 헌트

5 강의 일정

Narration: Hello, this is Kevin Davis. I'm interested in the evening classes you're offering. I was wondering if I can get some information about the classes.
안녕하세요, 저는 케빈 다비스입니다. 제공 중인 저녁 수업에 관심이 있습니다. 수업에 대한 정보를 얻을 수 있을까 해서 연락드렸습니다.

Q8 Where will the classes be held and what date do they begin?
수업은 어디에서 열리며 며칠에 시작하나요?

A8 The classes will begin on March 13th in the main hall.
수업은 3월 13일 주 강당에서 열립니다.

Q9 I'm interested in the Strategies for New Business class. The registration fee is $250. Right?
저는 신사업 시작을 위한 전략 수업에 관심이 있습니다. 등록비는 250달러가 맞나요?

A9 I'm sorry, but you have the wrong information. It is $200 because it will be held on Fridays.
죄송하지만 잘못 알고 계십니다. 금요일에 열리는 수업이기 때문에 등록비는 200달러입니다.

Q10 I work in the evening, so I'm only available for the afternoon classes. Can you give me the details of any classes that end before 5 P.M.?
저는 저녁에 일하기 때문에 오후 수업만 들을 수 있습니다. 오후 5시 전에 끝나는 수업에 대해 자세히 알려 주실 수 있나요?

A10 There are two scheduled classes. First, Cassandra Bradshaw will teach a class on tax return, understanding the basics on Tuesdays from 1 to 3 P.M. Second, launching new products and services will be conducted by Britney Williams on Fridays from 2 to 4 P.M.
예정된 수업이 두 개가 있습니다. 첫째로, 카산드라 브래드쇼는 매주 화요일 오후 1시부터 3시까지 세금 환급과 기본 사항 이해하기를 가르칠 것입니다. 둘째로, 새로운 제품과 서비스 출시하기 수업은 매주 금요일 오후 2시부터 4시까지 브리트니 윌리엄스로부터 진행될 것입니다.

TIP 과목명 안의 : 표시는 잠시 끊어 읽어주세요.

어휘 registration fee 등록비 fund 자금을 대다 tax return 세금 환급 commercial 상업의, 상업적인 credit 신용 expansion 확장 launch 시작하다, 출시하다 strategy 전략

Respond to questions using information provided   47

Express an opinion

템플릿 학습

연습 문제

템플릿 13 긍정적 사례 소개

> In the workplace, which of the following skills do you think is most important for a team leader?
> – Distributing tasks equally　– Resolving conflict　– Giving clear directions
> 직장에서 다음 중 어떤 능력이 팀장에게 가장 중요하다고 생각하나요?
> – 균등한 업무 배분　– 갈등 해결　– 명확한 지시 전달

입장		I think <u>giving clear directions is most important for a team leader</u>. 저는 명확한 지시를 전달하는 것이 팀장에게 가장 중요하다고 생각합니다.
이유		Most of all, it is <u>helpful for the team members to concentrate on their work</u>. 무엇보다도, 이것은 팀원들이 그들의 업무에 집중하는데 도움이 됩니다. **TIP** 해당 문장의 주어 it은 giving clear directions를 지칭합니다.
예시	배경	In the case of my team leader, <u>he always gives clear directions to employees</u>. 제 팀장님의 경우, 그는 언제나 직원들에게 명확한 지시를 전달합니다.
	경과	So, <u>it helps us understand the projects better</u>. Also, <u>we can start projects faster than other teams</u>. 그래서 이것은 우리가 프로젝트를 더 잘 이해하는 데 도움이 됩니다. 또한, 우리는 다른 팀보다 더 빨리 프로젝트를 시작할 수 있습니다.
	결과	As a result, <u>our team always meets the deadlines</u>. 그 결과, 우리 팀은 항상 마감기한을 지킵니다.
마무리		Therefore, I think <u>giving clear directions is most important for a team leader</u>. 따라서, 저는 명확한 지시를 전달하는 것이 팀장에게 가장 중요하다고 생각합니다.

어휘　workplace 직장, 업무 현장　distribute 분배하다, 나누어 주다　equally 균등하게　resolve 해결하다　conflict 갈등, 충돌　direction 지시, 명령　meet deadline 마감 기한을 지키다

입장		Resolving conflict
이유		직원들이 편안한 분위기에서 근무할 수 있다 (in a comfortable atmosphere)
예시 템플릿 13	배경	갈등을 잘 해결하는 직장 상사 소개
	경과	그가 갈등을 해결하는 방법 설명 (listen carefully, give advice, drink beer with them)
	결과	그로 인한 긍정적 결과 (get along well with each other)

템플릿 14 부정적 사례 소개

Do you agree or disagree with the following statement?
The government should encourage more people to buy electric cars than it currently does.
다음의 의견에 동의하나요, 반대하나요?
정부는 지금보다 더 많은 사람들이 전기 자동차를 구매하도록 장려해야 한다.

입장		I disagree that <u>the government should encourage more people to buy electric cars than it currently does</u>. 저는 정부가 지금보다 더 많은 사람들이 전기 자동차를 구매하도록 장려해야 한다는 것에 반대합니다.
이유		Most of all, there are <u>not many charging stations in the city yet</u>. 무엇보다도, 아직 도시 내에 전기 자동차 충전소가 많지 않습니다.
예시	배경	In the case of my best friend, he <u>bought an electric car about two years ago</u>. 제 가장 친한 친구의 경우, 그는 약 2년 전에 전기 자동차를 구매했습니다.
	문제점	However, he always <u>had difficulty in looking for an electric car charging station</u>. So, he <u>was often under stress while driving</u>. 하지만, 그는 전기차 충전소를 찾는 데 항상 어려움을 겪었습니다. 그래서, 그는 운전 중에 자주 스트레스를 받았습니다.
	결과	As a result, he <u>sold the car after one year</u> and he <u>is driving a gas-powered car nowadays</u>. 그 결과, 그는 1년 뒤에 그 차를 팔았고 요즘에는 휘발유 자동차를 타고 다닙니다. 추가문장 He regretted buying the car. 그는 그 차를 구입한 것을 후회했습니다.

마무리	Therefore, <u>I disagree that the government should encourage more people to buy electric cars than it currently does</u>. 따라서, 저는 정부가 지금보다 더 많은 사람들이 전기 자동차를 구매하도록 장려해야 한다는 것에 반대합니다.

어휘   **government** 정부   **encourage** 장려하다, 독려하다   **electric car** 전기 자동차   **charging station** 충전소   **look for** 찾다, 구하다
gas-powered car 휘발유 자동차

추가 답변 아이디어

입장		동의
이유		환경을 보호하는데 도움이 된다 (protect the environment)
예시 템플릿 15	과거 배경	휘발유와 경유 차량이 많았던 과거 환경 (gasoline and diesel powered cars)
	문제점	그로 인한 과거의 문제점 설명 (air pollution, serious)
	현재 상황	전기차와 하이브리드 차량이 많아진 현재의 환경 설명 (hybrid cars)
	결과	환경의 긍정적 변화 (decrease, little by little)

과거와 현재 사례의 비교

1

> What are the advantages of getting news online compared to from TV or a newspaper?
>
> TV나 신문과 비교해서 온라인으로 뉴스를 접하는 것의 장점은 무엇인가요?

입장		There are some <u>advantages of getting news online compared to from TV or a newspaper</u>. TV나 신문과 비교해서 온라인으로 뉴스를 접하는 것에는 몇 가지 장점이 있습니다.
이유		Most of all, we can <u>get the news quickly</u>. 무엇보다도, 우리는 신속하게 뉴스를 접할 수 있습니다.
예시	**과거 배경**	In the case of my parents, they <u>read newspapers to get news in the past</u>. 제 부모님의 경우, 그들은 과거에 뉴스를 접하기 위해 신문을 읽었습니다.
	문제점	So, they <u>had to wait until the next morning to get the news</u>. 그래서, 그들은 뉴스를 얻기 위해 다음날 아침까지 기다려야 했습니다. 추가문장 They couldn't get the news until the newspaper arrived. 그들은 신문이 도착하기 전까지는 뉴스를 접할 수 없었습니다.
	현재 상황	But nowadays, I always <u>get news on my smartphone</u>. 하지만 요즘에, 저는 항상 스마트폰을 이용해서 뉴스를 접합니다. 추가문장 I can get the latest news on my smartphone when I'm curious about some issues. 제가 어떤 이슈에 대해 궁금할 때 스마트폰을 이용해서 최신 뉴스를 접할 수 있습니다.
	결과	As a result, I <u>don't have to wait for the latest news</u>. 그 결과, 저는 최신 뉴스를 기다릴 필요가 없습니다.
마무리		Therefore, I think <u>it is a good idea to get news online compared to from TV or a newspaper</u>. 따라서, TV나 신문과 비교해서 온라인으로 뉴스를 접하는 것이 좋은 아이디어라고 생각합니다.

어휘 latest 최신의, 최근의 curious 궁금한

추가 답변 아이디어

이유(장점)		장소에 상관없이 뉴스를 얻을 수 있다 (regardless of)
예시 템플릿 15	**과거 배경**	뉴스를 얻던 부모님의 방식 소개 (watched TV)
	문제점	그로 인한 문제점 설명 (couldn't, outside)
	현재 상황	부모님이 요즘에 뉴스를 얻는 방식 설명 (smartphone)
	결과	그로 인한 긍정적 변화 (anywhere)

Question 11

2

Do you agree or disagree with the following statement?
In general, using the latest technology has improved how students study at home and school.
Give reasons or examples to support your opinion.

다음의 의견에 동의하나요, 반대하나요?
일반적으로, 최신 기술의 사용이 학생들이 집과 학교에서 공부하는 방식을 향상시켰다.
이유나 예시를 들어 의견을 뒷받침하세요.

입장		I disagree that using the latest technology has improved how students study at home and school. 저는 최신 기술의 사용이 학생들이 집과 학교에서 공부하는 방식을 향상시켰다는 데에 반대합니다.
이유		Most of all, students can be distracted easily while studying. 학생들이 공부하는 동안에 쉽게 산만해질 수 있습니다.
예시	배경	When I was a university student, I carried a tablet PC to watch online lectures anywhere. 제가 대학생이었을 때, 저는 어디서나 온라인 강의를 보기 위해 태블릿 PC를 가지고 다녔습니다.
	문제점	However, I often played games or surfed the web with it in the library. 하지만, 저는 종종 도서관에서 태블릿 PC로 게임을 하거나 웹 서핑을 했습니다. 추가문장 Also, I watched YouTube videos often while studying. 또, 공부 중에 유튜브 영상을 자주 봤습니다.
	결과	As a result, I couldn't concentrate on my studying and I wasted a lot of time. 그 결과, 저는 공부에 집중할 수 없었고 많은 시간을 낭비했습니다.
마무리		Therefore, I disagree that using the latest technology has improved how students study at home and school. 따라서, 저는 최신 기술의 사용이 학생들이 집과 학교에서 공부하는 방식을 향상시켰다는데 반대합니다.

어휘 **improve** 향상시키다, 발전시키다 **latest** 최신의, 최근의 **distract** 산만하게 하다, 집중이 안되게 하다 **lecture** 강의, 강연
surf the web (인터넷) 정보를 둘러보다

(추가 답변 아이디어)

입장		동의
이유		학생들이 아무때나 공부할 수 있다 (anytime)
예시 템플릿 13	배경	온라인 강의를 수강하게 된 배경 설명 (took an online lecture)
	경과	시간의 제약 없이 온라인 강의를 활용한 사례 설명 (studied, late at night, asked questions anytime)
	결과	그로 인한 긍정적 결과 (passed the exam)

실전 연습

1 동의 여부 말하기 – 사회적 이슈

> Do you agree or disagree with the following statement?
> *Even though a lot of people watch videos on mobile devices nowadays, there will always be a demand for TVs.*
> Give specific reasons or examples to support your opinion.
>
> 다음의 의견에 동의하나요, 반대하나요?
> *요즘에는 많은 사람들이 모바일 기기로 영상을 시청하지만, TV에 대한 수요는 항상 있을 것이다.*
> 구체적인 이유나 예시를 들어 당신의 의견을 뒷받침하세요.

입장		I agree that there will always be a demand for TVs. 저는 TV에 대한 수요가 항상 있을 것이라는 데 동의합니다. **TIP** 입장을 설명하기 위해 문제를 다 읽지 않아도 됩니다.
이유		Most of all, families can spend time together while watching TV at home. 무엇보다도, 집에서 TV를 보며 가족이 함께 시간을 보낼 수 있습니다.
예시 템플릿 13	**배경**	When I was a high school student, my family watched TV together in the evening. 제가 고등학생이었을 때, 저희 가족은 저녁에 함께 TV를 시청했습니다.
	경과	While watching TV together, we could discuss about the show and talk about our own lives, too. 함께 TV를 시청하는 동안, 우리는 쇼에 대해 토론하고 우리의 삶에 대해서도 이야기할 수 있었습니다.
	결과	As a result, it helped us to understand each other. 그 결과, 그것은 우리가 서로 이해하는데 도움이 되었습니다. 추가문장 Also, I always enjoyed spending time with my family. 또한, 저는 가족과 함께 시간을 보내는 것을 즐겼습니다.
마무리		Therefore, I agree that there will always be a demand for TVs. 따라서, 저는 TV에 대한 수요가 항상 있을 것이라는 데 동의합니다.

어휘　mobile device 모바일 기기, 장치　demand 수요

추가 답변 아이디어

입장		동의
이유		모바일 기기로 영상을 시청하는 것은 불편하다 (inconvenient)
예시 템플릿 14	**배경**	모바일 기기로 영화를 시청하게 된 배경 설명 (watched a movie)
	문제점	영화를 보면서 겪었던 불편했던 점 (screen size, difficult to read the subtitles)
	결과	그로 인한 부정적 결과 (couldn't concentrate)

2 동의 여부 말하기 - 사회적 이슈

> Do you agree or disagree with the following statement?
> *Starting a business is easier now than it was in the past.*
> Give specific reasons or examples to support your opinion.
>
> 다음의 의견에 동의하나요, 반대하나요?
> *오늘날 사업을 시작하는 것이 과거보다 더 쉽다.*
> 구체적인 이유나 예시를 들어 의견을 뒷받침하세요.

입장		I agree that starting a business is easier now than it was in the past. 저는 오늘날 사업을 시작하는 것이 과거보다 더 쉽다는 데 동의합니다.
이유		Most of all, there is a lot of support from the government for new businesses nowadays. 무엇보다도, 요즘에는 새로운 사업을 위한 정부의 지원이 많습니다.
예시 **템플릿 15**	**과거 배경**	In the case of my uncle, he opened a bakery in Seoul about 10 years ago. 제 삼촌의 경우, 그는 약 10년 전에 서울에서 제과점을 열었습니다.
	문제점	So, he spent a lot of money on buying equipment and renting a good place. 그래서, 그는 장비를 구매하고 좋은 장소를 임대하는데 많은 돈을 썼습니다.
	현재 상황	But nowadays, we can get various types of financial support for starting a business. Also, we can rent a small office at a lower price. 하지만 요즘은 사업을 시작하기 위한 다양한 종류의 재정적 지원을 받을 수 있습니다. 또한, 작은 사무실을 저가에 임대할 수 있습니다.
	결과	As a result, we can start a business on a small budget. 그 결과, 우리는 적은 예산으로 사업을 시작할 수 있습니다. 추가문장 This means that we don't have to set a large budget to start a business. 이것은 우리가 사업을 시작하기 위해 많은 예산을 준비할 필요가 없음을 의미합니다.
마무리		Therefore, I agree that starting a business is easier now than it was in the past. 따라서, 저는 사업을 시작하는 것이 과거보다 더 쉽다는 데 동의합니다.

어휘   equipment 장비   financial support 재정적 지원   at a lower price 낮은 가격으로   on a small budget 적은 예산으로   set 정하다

추가 답변 아이디어

입장		반대
이유		사업을 시작하는데 비용이 많이 든다 (cost)
예시 **템플릿 14**	**배경**	도시에서 카페 창업을 준비했던 지인 소개 (prepare to start)
	문제점	창업을 위해 많은 비용이 필요했던 점 설명 (interior design, the rent)
	결과	그로 인한 부정적 결과 (in a small town)

3 선호 사항 말하기 - 직장 생활

Think of a work skill that you would like to learn more about. Is it better to learn about that skill by taking a class or by watching instructional videos online? Why?
Give specific reasons or examples to support your opinion.

당신이 더 배우고 싶은 업무 기술을 한 가지 생각해보세요. 수업을 듣는 것과 온라인으로 교육 영상을 보는 것 중 어떤 방법이 그 기술을 배우기에 더 나은가요? 그 이유는 무엇인가요?
구체적인 이유나 예시를 들어 의견을 뒷받침하세요.

입장		I think it is better to watch instructional videos online.
		저는 온라인으로 교육 영상을 보는 것이 더 낫다고 생각합니다.
이유		Most of all, we can learn the skill more quickly.
		무엇보다도, 우리는 기술을 더 빨리 배울 수 있습니다.
예시 템플릿 15	과거 배경	About 2 years ago, I registered for a computer school to learn a program called Microsoft Excel.
		약 2년 전에, 저는 마이크로소프트 엑셀이라는 프로그램을 배우기 위해 컴퓨터 학원에 등록했습니다.
	문제점	However, the curriculum was very slow. Also, some techniques were not related to my work.
		하지만, 교과과정이 매우 느렸습니다. 또한, 몇몇 기술은 제 업무와 관련이 없는 것이었습니다.
	현재 상황	So nowadays, I learn how to use programs on YouTube at home.
		그래서 요즘은, 프로그램 사용법을 집에서 유튜브로 배웁니다.
	결과	As a result, I can learn necessary techniques first.
		그 결과, 저는 필요한 기술을 먼저 학습할 수 있습니다.
		추가문장 Also, I can skip unnecessary parts while taking a lecture.
		또, 강의를 듣는 중 불필요한 부분을 건너뛸 수 있습니다.
마무리		Therefore, I think it is better to watch instructional videos online.
		따라서, 저는 온라인으로 교육 영상을 보는 것이 더 낫다고 생각합니다.

어휘 instructional 교육적인 register 등록하다 curriculum 교과과정 necessary 필요한

추가 답변 아이디어

입장		수업 듣기
이유		수업에 집중하기 쉽다 (easy, concentrate)
예시 템플릿 14	배경	온라인 강의를 수강하게 된 배경 설명 (took an online lecture)
	문제점	강의 중 발생한 문제점 설명 (played mobile phone games, fell asleep often, sent text messages)
	결과	그로 인한 부정적 결과 (couldn't finish the curriculum, in time)

4 동의 여부 말하기 - 교육

Do you agree or disagree with the following statement?
When making important decisions, it is more helpful to seek advice from many people than to ask one person.
Give specific reasons or examples to support your opinion.

다음의 의견에 동의하나요, 반대하나요?
중요한 결정을 내릴 때, 한 사람에게 물어보는 것보다 많은 사람에게 조언을 구하는 것이 더 도움이 된다.
구체적인 이유나 예시를 들어 의견을 뒷받침하세요.

입장		I disagree that it is more helpful to seek advice from many people than to ask one person. 저는 한 사람에게 물어보는 것보다 많은 사람에게 조언을 구하는 것이 더 도움이 된다는 것에 반대합니다.
이유		Most of all, it is more confusing to make a decision. 무엇보다도, 결정을 내리는 것이 더 혼란스럽습니다.
예시 템플릿 14	**배경**	About 5 years ago, I was preparing to enter graduate school. So, I asked questions to many graduate students about school life. 약 5년 전에, 저는 대학원 입학을 준비 중이었습니다. 그래서 저는 많은 대학원생들에게 학교 생활에 대해 질문했습니다.
	문제점	However, everyone had different opinions about graduate school and it made me confused. So, I couldn't make a decision for a long time. 하지만, 각자 대학원에 대해 다른 생각을 가지고 있었고, 그것은 저를 혼란스럽게 했습니다. 그래서 저는 오랫동안 결정을 내리지 못했습니다. 추가문장 Some people had negative opinions about studying at graduate school. 몇몇 사람들은 대학원에서 공부하는 것에 대해 부정적인 의견도 갖고 있었습니다.
	결과	As a result, I decided to get a job instead of going to graduate school and I regret the decision nowadays. 그 결과, 저는 대학원 입학 대신에 취업을 하기로 결심했고, 지금은 그 결정을 후회하고 있습니다.
마무리		Therefore, I disagree that it is more helpful to seek advice from many people than to ask one person. 따라서, 저는 한 사람에게 물어보는 것보다 많은 사람에게 조언을 구하는 것이 더 도움이 된다는 것에 반대합니다.

어휘   seek 구하다, 찾다   advice 조언   graduate school 대학원   confusing 혼란스러운   regret 후회하다

입장		동의
이유		잘못된 결정을 피하기 쉽다 (avoid a wrong decision)
예시 템플릿 15	과거 배경	한 친구로부터 중요한 조언을 구했던 과거의 경험
	문제점	그로 인한 문제점 설명 (gave me the wrong advice)
	현재 상황	중요한 조언을 구하는 현재의 방식 설명 (follow the majority opinions)
	결과	그로 인한 긍정적 결과 (make a wise decision)

5 셋 중 택일 - 교육

What is the best way for a university student to spend time during long vacations?
Choose one of the options provided below, and give specific reasons or examples
to support your opinion.
- Traveling abroad   - Doing an internship   - Studying

대학생이 긴 방학을 보내기 위한 가장 좋은 방법은 무엇인가요?
아래 제시된 선택지 중 하나를 선택하고, 구체적인 이유나 예시를 들어 의견을 뒷받침하세요.
- 해외 여행하기   - 인턴 근무하기   - 공부하기

입장		I think doing an internship is the best way for a university student to spend time during long vacations. 저는 인턴 근무를 하는 것이 대학생이 긴 방학을 보내기 위한 가장 좋은 방법이라고 생각합니다.
이유		Most of all, it can help university students to choose their career path. 무엇보다도, 그것은 대학생들이 진로를 선택하는 데 도움이 될 수 있습니다.
예시 템플릿 13	배경	When I was a university student, I had the chance to work at a marketing agency as an intern for 1 year. 제가 대학생이었을 때, 저는 마케팅 대행사에서 인턴으로 1년간 일할 기회가 있었습니다.
	경과	During the internship, I worked with many startup companies and promoted them on the Internet. It was a fun and interesting experience. 인턴쉽 기간 동안 저는 많은 스타트업 회사들과 함께 일했고, 그들을 인터넷 상에서 홍보했습니다. 그것은 재미있고 흥미로운 경험이었습니다.
	결과	As a result, I entered a marketing agency as soon as I graduated and I'm satisfied with my job. 그 결과, 저는 졸업을 한 후 바로 마케팅 대행사에 취업했으며, 제 직업에 만족하고 있습니다.
마무리		Therefore, I think doing an internship is the best way for a university student to spend time during the long vacations. 따라서, 저는 인턴 근무를 하는 것이 대학생이 긴 방학을 보내기 위한 가장 좋은 방법이라고 생각합니다.

어휘   have a chance to ~ ~할 기회가 생기다   internship 인턴 근무   enter 입사, 입학하다   as soon as ~하자마자

입장		해외 여행하기
이유		대학생들이 다양한 문화적 경험을 하는 것은 중요하다 (have, cultural experiences)
예시 템플릿 13	배경	대학생 시절 해외 여행을 했던 배경 설명 (traveled to)
	경과	여행을 하며 배운 점 설명 (met, learned, communicated, understood, experienced)
	결과	그로 인한 긍정적 결과 (become, more flexible person)

6 장단점 말하기 - 직장 생활

> What are the disadvantages of introducing flexible working hours for employees?
> Give specific reasons or examples to support your opinion.
>
> 직원들을 위해 탄력적인 근무 시간을 도입하는 것의 단점은 무엇인가요?
> 구체적인 이유나 예시를 들어 의견을 뒷받침하세요.

입장		There are some disadvantages of introducing flexible working hours for employees. 직원들을 위해 탄력적인 근무 시간을 도입하는 것에는 몇 가지 단점이 있습니다.
이유		Most of all, it is inconvenient to cooperate with employees. 무엇보다도, 직원들과 협업을 하기가 불편합니다.
예시 템플릿 14	배경	About 3 years ago, our company introduced flexible working hours for the convenience of our employees. 약 3년 전에, 저의 회사는 직원들의 편의를 위해 탄력적인 근무 시간을 도입했습니다.
	문제점	However, we often had difficulty in setting the time for a meeting. 하지만 우리는 종종 회의 시간을 정하는 데 어려움을 겪었습니다. 추가문장 Also, it took longer to communicate with each other than before. 또한, 서로 소통을 하는데 이전보다 시간이 더 걸렸습니다.
	결과	As a result, our projects were delayed often. 그 결과, 프로젝트가 자주 지연되었습니다. 추가문장 And the company stopped the system in the end. 그리고 회사는 결국 이 제도를 중단했습니다.
마무리		Therefore, I don't think it is a good idea to introduce flexible working hours for employees. 따라서, 저는 직원들을 위해 탄력적인 근무 시간을 도입하는 것이 좋은 아이디어라고 생각하지 않습니다.

어휘   introduce 도입하다   cooperate 협업하다, 협동하다   set the time 시간을 정하다   for the convenience of ~ ~의 편의를 위해
      system 제도   in the end 결국에는

이유(단점)		생산성을 떨어뜨릴 수 있다 (decrease, productivity)
예시 템플릿 15	과거 배경	탄력적 근무 시간을 도입한 과거의 업무 환경 설명
	문제점	그로 인해 겪은 문제점 설명
	현재 상황	현재의 업무 환경 설명 (stopped the system)
	결과	그로 인한 긍정적 결과 (convenient to communicate, work faster)

실전 모의고사 1

🔊 MP3 AT1_1-11

Read a Text Aloud

Q1 광고문

Are you looking for a way to relax on the weekend? ↗ // Located just 15 minutes outside of town ↗, / the Sunny Hills Garden offers a break / from the fast pace of city life ↘. // Tours begin at ten A.M. ↗, / noon ↗, / and two P.M. ↗, / every Saturday / and Sunday ↘. // From July to September ↗, / evening tours will be available too ↘. // All tours start from the main entrance ↘.

주말에 휴식을 취할 방법을 찾고 있나요? 시내에서 불과 15분 거리에 위치한 서니 힐스 정원은 도시 생활의 빠른 속도로부터 휴식을 제공합니다. 투어는 매주 토요일과 일요일 오전 10시, 정오, 오후 2시에 시작합니다. 7월부터 9월까지는 야간 투어도 가능합니다. 모든 투어는 정문에서 시작합니다.

강세 / 끊어 읽기 ↗ 올려 읽기 ↘ 내려 읽기

어휘 **break** 휴식 **pace** 속도

Q2 자동 응답 메시지

You've reached Axis Real Estate Company ↗, / your local real estate experts ↘. // Unfortunately ↗, / no one is available to answer your call right now ↘. // Please leave a message / including your name ↗, / address ↗, / and contact information ↘. // One of our agents will call you back / during business hours ↘. // Thank you for calling Axis Real Estate Company ↘.

지역 부동산 전문가인 액시스 부동산 회사에 연락 주셨습니다. 안타깝게도 지금은 전화를 받을 수 있는 직원이 없습니다. 이름, 주소 및 연락처 정보와 함께 메시지를 남겨주세요. 저희 직원 중 한 명이 업무시간에 전화드리겠습니다. 액시스 부동산 회사에 전화 주셔서 감사합니다.

강세 / 끊어 읽기 ↗ 올려 읽기 ↘ 내려 읽기

어휘 **real estate** 부동산 **expert** 전문가 **agent** 직원

Questions 3-4

Describe a Picture

Q3 인물 중심 (3인 이상)

장소	I think this picture was taken in an office. 이 사진은 사무실에서 찍힌 것 같습니다.
인원 수	There are three people in this picture (and they are wearing blue aprons). 사진에는 세 사람이 있습니다. 그리고 그들은 파란 앞치마를 착용하고 있습니다.
인물 1	On the left side of the picture, a man is mopping the floor. 사진의 왼쪽에, 한 남자가 바닥에 대걸레질을 하고 있습니다.
인물 2	Behind him, (it looks like) a woman is wiping a table. 그의 뒤에, 한 여자가 테이블을 닦는 것처럼 보입니다. **TIP** 동작이 확실하지 않을 때는 문장의 앞에 It looks like를 붙여주세요.
인물 3	Next to her, another man is using a vacuum cleaner. 그녀의 옆에, 다른 남자가 청소기를 사용하고 있습니다.
추가 문장 (생략 가능)	In the foreground of the picture, there is a small cleaning cart. 사진의 앞쪽에는 작은 청소용 손수레가 있습니다.

어휘   apron 앞치마   cleaning cart 청소용 손수레

Q4 인물 중심 (2인 이상)

장소	I think this picture was taken in a greenhouse. 이 사진은 비닐하우스에서 찍힌 것 같습니다.
인원 수	There are two people in this picture. 사진에는 두 명의 사람이 있습니다.
인물 1	In the middle of the picture, it looks like a woman is checking some data. She is wearing a white T-shirt and overalls. 사진의 가운데에, 한 여성이 데이터를 확인하는 것처럼 보입니다. 그녀는 흰 티셔츠와 멜빵바지를 입고 있습니다.
인물 2	Behind her, a man is watering plants. He is wearing a green apron and red pants. 그녀의 뒤에 한 남자가 식물에 물을 주고 있습니다. 그는 녹색 앞치마와 빨간 바지를 입고 있습니다.
추가 문장	On the right side of the picture, there are a lot of plants. 사진의 오른쪽에, 많은 식물들이 있습니다.

어휘 greenhouse 온실, 비닐하우스 overalls 멜빵바지 water 물을 주다

Respond to Questions

전화 인터뷰

> Imagine that an Australian marketing firm is doing research in your area. You have agreed to participate in a telephone interview about furniture, such as tables and chairs.
>
> 호주의 한 마케팅 회사가 당신이 살고 있는 지역에서 설문조사를 하고 있다고 가정해보세요. 당신은 테이블과 의자 같은 가구 관련 전화 인터뷰에 참여하기로 하였습니다.

Q5	**What was the last piece of furniture you bought, and where did you buy it?** 마지막으로 구매한 가구는 무엇이고, 어디서 샀나요?
A5	The last piece of furniture I bought was a desk and I bought it at a furniture store (called IKEA). 마지막으로 구매한 가구는 책상이며, 이케아라는 가구점에서 샀습니다.
Q6	**If you wanted to buy new furniture, would you visit only one store or several different stores? Why?** 당신이 새 가구를 구매하고 싶다면 한 매장을 방문하겠나요, 아니면 여러 매장을 방문하겠나요? 그 이유는 무엇인가요?
A6	I would visit several different stores. It's because I want to compare various designs (before I buy the furniture). 저는 여러 매장을 방문하겠습니다. 그 이유는 가구를 구매하기 전에 다양한 디자인을 비교하고 싶기 때문입니다.
Q7	**What is your favorite piece of furniture in your home? Why?** 당신의 집에서 가장 좋아하는 가구는 무엇인가요? 그 이유는 무엇인가요?
A7	My favorite piece of furniture in my home is my new desk. First, there are many convenient functions (for studying at my desk). Second, I can adjust the height easily. (So, it is very convenient to use.) 저희 집에서 제가 가장 좋아하는 가구는 새 책상입니다. 첫째로, 제 책상에는 공부를 위한 편리한 기능들이 많이 있습니다. 둘째로, 저는 책상의 높이를 쉽게 조정할 수 있습니다. 그래서 사용하기에 매우 편리합니다.

( ) = 생략 가능

어휘 **function** 기능 **adjust** 조정하다 **height** 높이

Respond to Questions Using Information Provided

행사 일정

깁슨 제약회사 분기별 관리자급 회의 5월 1일 화요일 C 회의실	
오전 9:30 ~ 10:00	회장 웨어 리의 개회사 총괄 국장인 미셸 스미스로 대체
오전 10:15 ~ 11:30	3분기 목표 및 전략 논의
오전 11:30 ~ 정오	새 연구소 건설에 대한 정보
정오 ~ 오후 1:00	점심 식사 (식당)
오후 1:00 ~ 2:00 오후 2:15 ~ 3:30	관리자 보고 향후 프로젝트 (찰리 존스, 개발 부장) 새로운 시장 가능성 (빅토리아 리, 마케팅 부장)

Narration: Hello, this is Kevin Orson. I'm participating in the meeting next week and I want to check a few things. Let me ask some questions.

안녕하세요, 저는 케빈 오손입니다. 저는 다음 주 회의에 참석할 예정인데, 몇 가지 확인하고 싶은 것이 있습니다. 질문을 몇 개만 드리겠습니다.

Q8 What is the date of the meeting and where will it be held?
회의 날짜와 장소가 어떻게 되나요?

A8 The meeting will be held on Tuesday, May 1st, in conference room C.
회의는 5월 1일 화요일 C 회의실에서 열릴 것입니다.

Q9 I heard that the opening remarks have been canceled. So, the first session will begin at 10:15. Right?
개회사가 취소되었다고 들었습니다. 그럼 첫 번째 세션이 10시 15분에 시작하는 것이 맞나요?

A9 I'm sorry, but you have the wrong information. The opening remarks will be conducted by Michelle Smith, the general director at 9:30 A.M.
죄송하지만 잘못 알고 계십니다. 개회사는 총괄 국장인 미셸 스미스로부터 오전 9시 30분에 진행될 것입니다.

Q10 Can you give me the information about the manager reports?
관리자 보고에 대한 정보를 알려주시겠어요?

A10 There are two scheduled reports. First, Charlie Jones, the development manager will give a report on upcoming projects at 1 P.M. Second, another report on new market possibilities will be conducted by Victoria Li, the marketing manager at 2:15 P.M.
두 가지 예정된 보고가 있습니다. 첫째로, 개발 부장인 찰리 존스가 향후 프로젝트에 대한 보고를 오후 1시에 할 것입니다. 둘째로, 새로운 시장 가능성에 대한 보고가 마케팅 부장인 빅토리아 리로부터 오후 2시 15분에 진행될 것입니다.

TIP 이력서를 제외한 나머지 유형에서는 직위 앞에 the를 붙여주세요.

Express an Opinion

직장 생활

Do you agree or disagree with the following statement?
Increased responsibilities lead to more job satisfaction at work.
Give specific reasons or examples to support your idea.

다음의 의견에 동의하나요, 반대하나요?

책임의 증가는 직장에서 더 큰 직업 만족도로 이어진다.

구체적인 이유나 예시를 들어 의견을 뒷받침하세요.

입장		I disagree that increased responsibilities lead to more job satisfaction at work. 저는 책임의 증가가 직장에서 더 큰 직업 만족도로 이어진다는 데 반대합니다.
이유		Most of all, increased responsibilities can cause a lot of stress. 무엇보다도, 책임의 증가는 많은 스트레스를 유발할 수 있습니다.
예시 템플릿 14	**배경**	In the case of my best friend, he was promoted to a team manager about 2 years ago. 제 가장 친한 친구의 경우, 그는 약 2년 전에 팀장으로 승진했습니다.
	문제점	So, he had to manage a lot of staff members. Also, he always worked under stress to increase sales. 그래서 그는 많은 직원들을 관리해야 했습니다. 또한, 그는 매출을 늘리기 위해 항상 스트레스를 받으며 일했습니다.
	결과	As a result, he often had a stomachache because of stress, and he quit the job in the end. 그 결과, 그는 스트레스로 인해 자주 배가 아팠으며, 결국 퇴사했습니다.
마무리		Therefore, I disagree that increased responsibilities lead to more job satisfaction at work. 따라서, 저는 책임의 증가가 직장에서 더 큰 직업 만족도로 이어진다는 데 반대합니다.

어휘   stomachache 복통   quit the job 퇴사하다, 일을 그만두다

실전 모의고사 2

Questions 1-2

Read a Text Aloud

Q1 공지 및 안내문

> Attention Green Wings Airlines **passengers** ↘. // All flights to Columbia ↗, / Mexico ↗, / and Costa Rica ↘ / will be delayed due to heavy rains ↘. // We sincerely apologize for the delay ↘. // While we expect the storm will pass within two hours ↗, / we realize that some passengers may miss their connecting flights in those destinations ↘. // So ↗, / please listen carefully for further instructions ↘. // Again ↗, / we are sorry for the inconvenience ↘.
>
> ---
>
> 그린 윙즈 항공 승객 여러분께 알려드립니다. 컬럼비아, 멕시코 그리고 코스타리카로 가는 모든 항공편이 폭우로 인해 지연될 것입니다. 항공편이 지연이 되는 점 진심으로 사과드립니다. 태풍이 2시간 내로 지나갈 것이라 예상하지만, 일부 승객들께서 해당 목적지로 향하는 연결 항공편을 이용하지 못할 것이라 생각됩니다. 그러니 추후 안내 사항을 잘 들어주시기 바랍니다. 다시 한 번 불편함을 드려 죄송합니다.

강세 **/ 끊어 읽기** ↗ **올려 읽기** ↘ **내려 읽기**

어휘 sincerely 진심으로 further 추가적인 instruction 지시사항 inconvenience 불편함

Q2 프로그램 소개

> Thank you for attending the National Engineering Conference ↘. // Before **we get** started ↗, / I have a few brief instructions ↘. // First ↗, / check your conference information packet / to make sure you received a schedule sheet ↗, / a name tag ↗, / and lunch ticket ↘. // In addition ↗, / please arrive at all seminar sessions early / so that we can start on time ↘. // The opening ceremony will begin soon.
>
> ---
>
> 국제 공학 컨퍼런스에 참석해주셔서 감사합니다. 시작하기 전에 간단한 전달 사항이 있습니다. 먼저, 회의 정보 자료집을 확인해서 일정표, 이름표, 그리고 점심 티켓을 수령했는지 확인해보세요. 추가로, 제시간에 시작할 수 있도록 모든 세미나에 일찍 도착해주시기 바랍니다. 개회식이 곧 시작될 예정입니다.

강세 **/ 끊어 읽기** ↗ **올려 읽기** ↘ **내려 읽기**

어휘 brief 짧은 packet 자료집, 서류 뭉치 on time 정시에

Describe a Picture

Q3 인물 중심 (3인 이상)

장소	I think this picture was taken in an office. 이 사진은 사무실에서 찍힌 것 같습니다.
인원 수	There are many people in this picture. 사진에는 많은 사람들이 있습니다.
인물 1	On the left side of the picture, a woman is walking along the aisle. She is wearing a white skirt. 사진의 왼쪽에, 한 여자가 통로를 걸어가고 있습니다. 그녀는 흰색 치마를 입고 있습니다.
인물 2	Next to her, a man is typing on a laptop computer. 그녀의 옆에, 한 남자가 노트북 컴퓨터를 타이핑하고 있습니다.
인물 3	On the right side of the picture, two men are talking to each other. 사진의 오른쪽에, 두 남자가 서로 이야기를 하고 있습니다.
추가 문장 (생략 가능)	In the background of the picture, it looks like a woman is reading something in her office. 사진의 배경에, 한 여자가 그녀의 사무실에서 뭔가를 읽는 것 같습니다.

어휘 aisle 통로

TIP aisle의 발음에 유의하세요. s 소리가 나지 않습니다.

Q4 인물 중심 (3인 이상)

장소	I think this picture was taken in the front yard of a house. 이 사진은 집 앞마당에서 찍힌 것 같습니다.
인원 수	There are four people in this picture. 사진에는 네 명이 있습니다.
인물 1	On the right side of the picture, a woman is helping a girl ride a kick scooter. 사진의 오른쪽에, 한 여자가 소녀가 킥보드를 타는 것을 도와주고 있습니다. **TIP** help + 목적어 + 동사원형 구문을 이용했습니다.
인물 2	On the left side of the picture, another girl is riding a swing. 사진의 왼쪽에, 또다른 소녀가 그네를 타고 있습니다.
인물 3	Behind her, a man is pushing her from behind. 소녀의 뒤에, 한 남자가 그녀를 뒤에서 밀어주고 있습니다.
추가 문장 (생략 가능)	In the background of the picture, I can see a house. 사진의 배경에, 집이 한 채 보입니다.

어휘 kick scooter 킥보드 ride a swing 그네를 타다

Respond to Questions
전화 인터뷰

> Imagine that an American educational magazine is doing research in your country. You have agreed to participate in a telephone interview about high school.
>
> 미국의 한 교육 잡지사가 당신의 도시에서 설문조사를 하고 있다고 가정해보세요. 당신은 고등학교에 대한 전화 인터뷰에 참여하기로 하였습니다.

Q5 How long did it take you to get to your high school and what transportation did you use to get there?
고등학교까지 가는 데 시간이 얼마나 걸렸고, 어떤 교통수단을 이용했나요?

A5 It took about 30 minutes to get to my high school and I took a bus to get there.
고등학교까지 가는 데 30분 정도 걸렸고, 저는 버스를 타고 갔습니다.

Q6 What was your favorite subject in high school? Why?
고등학교 때 가장 좋아하던 과목은 무엇인가요? 그 이유는 무엇인가요?

A6 My favorite subject in high school was physical education. It's because I could relieve stress (while playing sports with my friends).
고등학교 때 가장 좋아하던 과목은 체육입니다. 왜냐하면 친구들과 스포츠를 하면서 스트레스를 풀 수 있었기 때문입니다.

Q7 Did you prefer to study alone or with other classmates when you were in high school? Why?
고등학교 때 혼자 공부하는 것과 친구들과 함께 공부하는 것 중 무엇을 더 좋아했나요? 그 이유는 무엇인가요?

A7 I preferred to study alone when I was in high school. First, I didn't have to talk with my friends to select a place (and time for studying). Second, it was easier to concentrate on studying. (When I studied with my friends, we usually chatted too much.)
저는 고등학교 때 혼자 공부하는 것을 더 좋아했습니다. 먼저, 공부를 위한 시간과 장소를 고르기 위해 친구와 얘기할 필요가 없었습니다. 둘째로, 공부에 집중하기가 더 쉬웠습니다. 친구들과 함께 공부할 때 저희는 보통 잡담을 너무 많이 했습니다.

( ) = 생략 가능

어휘 physical education 체육 수업 relieve stress 스트레스를 풀다 chat 잡담을 하다

Respond to Questions Using Information Provided
이력서

크레이그 토머스

리버데일가 112, 보스턴(매사추세츠)

intelcraig@guesson.com (617)250-7700

희망 직위	보조 뉴스 편집자	
학력	뉴어크 대학교 언론학 학사	2016년 6월
업무 이력	더 보스턴 타임즈　　　뉴스 리포터	2018 ~ 재직중
	플레인필드 시티 데일리　보조 리포터	2016 ~ 2018
특기 & 특이사항	특파원 (이라크, 아프가니스탄) 자격증: 디지털 카메라 및 사진 편집 저자 (사진기법 입문)	
추천서	요청 시 제공 가능	

Narration: Hello, this is Roy Hatcher, the senior editor. I'm interviewing Craig Thomas for the assistant editing position this afternoon, but I don't have his résumé. So, I need some information about him.

안녕하세요, 저는 선임 편집장 로이 해처 입니다. 오늘 오후에 크레이그 토머스를 보조 편집자 직책으로 면접 볼 예정인데, 그의 이력서가 없습니다. 그래서 그에 대한 정보가 몇 가지 필요합니다.

Q8 What university did Mr. Thomas attend and what did he study?
토머스씨는 무슨 대학에 다녔고 무엇을 전공했나요?

A8 He received a bachelor's degree in journalism at Newark University in June 2016.
그는 2016년 6월에 뉴어크 대학교에서 언론학 학사 학위를 받았습니다.

> **TIP** 월이 포함된 경우 년도 앞에 월을 함께 말해주세요.

Q9 We are looking for someone who is qualified to edit photos. Do you think he is a suitable person?
우리는 사진을 편집할 수 있는 자격을 갖춘 사람을 찾고 있습니다. 그가 적합한 지원자라고 생각하나요?

A9 I think he is a suitable applicant because he has a certification in digital cameras and photo editing.
저는 그가 적합한 지원자라고 생각하는데, 그 이유는 그가 디지털 카메라와 사진 편집 분야에서 자격증을 가지고 있기 때문입니다.

Q10 Can you give me some details of Mr. Thomas's work history?
토머스씨의 근무 이력에 대해서 자세히 알려주시겠어요?

A10 He has two different kinds of work experience. First, he worked at Plainfield City Daily as an assistant reporter from 2016 to 2018. And then, he has been working at The Boston Times as a news reporter since 2018.
그는 두 가지 업무 경력이 있습니다.
먼저, 그는 플레인필드 시티 데일리에서 보조 리포터로 2016년부터 2018년까지 일했습니다. 그리고 나서 그는 더 보스턴 타임즈에서 2018년부터 뉴스 리포터로 근무하고 있습니다.

Express an Opinion
사회적 이슈

Do you agree or disagree with the following statement?
Even though more and more people read books on various electronic devices, there will always be a demand for paper books.
Give specific reasons or examples to support your idea.
다음의 의견에 동의하나요, 반대하나요?
점점 더 많은 사람들이 다양한 전자기기를 이용해서 책을 읽지만, 종이 책에 대한 수요는 항상 있을 것이다.
구체적인 이유나 예시를 들어 의견을 뒷받침하세요.

입장		I agree that there will always be a demand for paper books. 저는 종이 책에 대한 수요가 항상 있을 것이라는 데 동의합니다.
이유		Most of all, we can read paper books regardless of time and location. 무엇보다도, 우리는 시간과 장소에 상관없이 종이 책을 읽을 수 있습니다.
예시 템플릿 15	**과거 배경**	About 6 months ago, I bought a tablet PC to read e-books. 약 6개월 전에, 저는 전자책을 읽기 위해 태블릿 PC를 구매했습니다.
	문제점	But I couldn't use it all the time because the battery ran out quickly. Also, my eyes became tired easily. 그런데 배터리가 빨리 닳아서 그것을 자주 사용할 수 없었습니다. 또한, 눈이 쉽게 피로해졌습니다.
	현재 상황	So, I sold the tablet PC and I read paper books nowadays. 그래서 저는 태블릿 PC를 팔았고, 요즘은 종이 책을 읽습니다.
	결과	As a result, I can read books anywhere at any time and it is more comfortable to read. 그 결과, 저는 언제 어디서나 책을 읽을 수 있고, 책을 더 편하게 읽을 수 있습니다.
마무리		Therefore, I agree that there will always be a demand for paper books. 따라서, 저는 종이 책에 대한 수요가 항상 있을 것이라는 데 동의합니다.

어휘   **regardless of** ~에 상관없이   **run out** 닳다, 다 떨어지다

실전 모의고사 3

🔊 MP3 AT3_1-11

Questions 1-2

Read a Text Aloud

Q1 방송 지문

After a short commercial break↗, / we have an interesting news about vacation destinations in Hawaii↘. // It has wonderful vacation spots in the countryside↗, / along the beach↗, / and in various urban centers↘. // But if you want to know / which vacation spot is most popular among our listeners↗, / stay tuned for Travel Guide News / and we'll be right back.

짧은 광고 후에 저희는 하와이의 휴양지에 관한 흥미로운 소식이 있습니다. 하와이에는 시골, 해변가, 그리고 도심지에 멋진 휴양지가 있습니다. 청취자들에게 가장 인기 있는 휴양지가 어디인지 궁금하시다면 트레블 가이드 뉴스에 채널을 고정해주세요. 저희는 잠시 후에 돌아오겠습니다.

강세 / 끊어 읽기 ↗ 올려 읽기 ↘ 내려 읽기

어휘 **commercial break** (프로그램 사이의) 광고 **vacation spot** 휴양지 **urban** 도시의

Q2 자동 응답 메시지

You have reached the Coastline Restaurant and Grill↗, / Ocean City's favorite neighborhood restaurant↘. // The restaurant is currently closed↘. // For restaurant hours↗, / please press one↘. // For directions↗, / please press two↘. // For information on catering↗, / corporate events↗, / and in-house celebrations↗, / please press three↘. // Please call back after 5 o'clock to make a reservation↘.

오션 시티에서 가장 인기있는 동네 식당인 코스트라인 레스토랑 앤드 그릴에 연락주셨습니다. 현재는 영업 시간이 아닙니다. 영업시간이 궁금하시면 1번을 눌러주세요. 오시는 방법이 궁금하시면 2번을 눌러주세요. 출장 요리, 기업 이벤트, 사내 축하 행사에 대한 정보를 원하시면 3번을 눌러주세요. 예약을 하시려면 5시 이후에 다시 연락주세요.

강세 / 끊어 읽기 ↗ 올려 읽기 ↘ 내려 읽기

어휘 **catering** 출장 요리 **corporate** 기업의 **in-house** 회사 사내의 **celebration** 축하 행사

Describe a Picture

Q3 다수의 인물 및 사물

장소	I think this picture was taken in a park (near the river). 이 사진은 강 근처의 공원에서 찍힌 것 같습니다.
인원 수	There are five people in this picture. 사진에는 다섯명의 사람이 있습니다.
대상 1	In the middle of the picture, two people are riding bicycles. 사진의 가운데에, 두 사람이 자전거를 타고 있습니다.
대상 2	Next to them, three women are looking at the bicyclists. (And one of them is leaning against a wall.) 그들의 옆에, 세 여자가 자전거를 타는 사람들을 쳐다보고 있습니다. 그리고 그들 중 한 명은 벽에 기대어 있습니다.
대상 3	In the background of the picture, there are many trees and some buildings. 사진의 배경에, 많은 나무와 건물이 있습니다.

어휘   bicyclist 자전거를 타는 사람   lean 기대다

Q4 다수의 인물 및 사물

장소	I think this picture was taken at a tourist spot. 이 사진은 관광지에서 찍힌 것 같습니다.
인원 수	There are many people in this picture. 사진에는 많은 사람들이 있습니다.
대상 1	On the right side of the picture, a woman is taking a picture of a man. 사진의 오른쪽에, 한 여자가 남자의 사진을 찍고 있습니다.
대상 2	And there is a lawn behind him. 그의 뒤에는 잔디밭이 있습니다. TIP 유사한 패턴의 반복을 피하기 위해 위치표현을 주요대상의 뒤에 설명해 줄 수 있습니다.
대상 3	In the background of the picture, I can see an old building and some people are coming out of it. 사진의 배경에, 오래된 건물이 보이고 몇몇 사람들이 건물에서 나오고 있습니다.

어휘 tourist spot 관광지 lawn 잔디밭 come out of A ~에서 나오다

Respond to Questions

전화 인터뷰

Imagine that a British educational company is doing research in your country. You have agreed to participate in a telephone interview about education.

영국의 한 교육 회사가 당신의 도시에서 설문조사를 하고 있다고 가정해보세요. 당신은 교육 관련 전화 인터뷰에 참여하기로 하였습니다.

Q5 What is the closest university to your home and how far away is it?
당신의 집에서 가장 가까운 대학은 어디이며 얼마나 멀리 떨어져 있나요?

A5 The closest university to my home is Dong-Guk University and it takes about 4 minutes by subway.
집에서 가장 가까운 대학은 동국대학교이고, 지하철로 4분 정도 걸립니다.

Q6 Do you prefer a large class with many students or a small class with only a few students? Why?
당신은 많은 학생들이 있는 큰 규모의 수업을 선호하나요, 아니면 소수의 학생들이 있는 작은 규모의 수업을 선호하나요? 그 이유는 무엇인가요?

A6 I prefer a small class with only a few students. It's because I can get feedback from the teacher more often.
저는 소수의 학생들이 있는 작은 규모의 수업을 선호합니다. 그 이유는 선생님께 더 자주 피드백을 받을 수 있기 때문입니다.

Q7 If you could take a class at a university, what class would you want to take? Why?
당신이 대학에서 수업을 들을 수 있다면 어떤 수업을 듣고 싶나요? 그 이유는 무엇인가요?

A7 I would want to take a marketing class.

First, I have been interested in marketing (since I was a high school student).

Second, I can learn useful marketing skills to run a business. (I think the importance of SNS marketing is increasing.)

Therefore, I would want to take a marketing class.

저는 마케팅 수업을 듣고 싶습니다.

첫째로, 저는 고등학교 때부터 마케팅에 관심이 있었습니다. 둘째로, 저는 사업을 운영하기 위한 유용한 마케팅 기술을 배울 수 있습니다. 저는 SNS 마케팅의 중요성이 높아지고 있다고 생각합니다. 따라서, 저는 마케팅 수업을 듣고 싶습니다.

( ) = 생략 가능

어휘 **be interested in** ~에 흥미가 있는 **run** 운영하다 **importance** 중요성 **take a class** 수업을 듣다

Respond to Questions Using Information Provided
개인 일정

마틴 베이커, 박물관장	
몬트리올 현대 예술 박물관	
4월 3일 목요일	
오전 9:00 ~ 10:00	화상 회의, 케이트 머피, 매리타임 종합병원 국장
오전 10:00 ~ 정오	지원서 검토: 기금모음 관리자 직책
정오 ~ 오후 1:30	박물관 기부자들과 점심 식사
오후 1:30 ~ 2:30	직원 회의
오후 3:00 ~ 4:30	특별 그룹 투어 진행 (서관)
오후 4:30 ~ 6:00	이사회 회의 (차기 전시회 주제)
오후 6:15	공항 픽업 서비스 이용
오후 9:00	파리로 출발 (제트 에어 항공 814편)

Narration: Hi, this is Martin Baker. I've left the agenda for tomorrow on my desk. And I have some questions about my schedule.

안녕하세요, 저는 마틴 베이커입니다. 저는 내일 일정을 책상에 두고 왔습니다. 제 일정에 대해서 몇 가지 질문이 있습니다.

Q8 What time is my flight to Paris and what airline do I use?
파리행 비행기는 몇 시이고, 어떤 항공사를 이용하나요?

A8 You are going to depart to Paris on Jet Air flight 814 at 9 P.M.
당신은 오후 9시에 제트 에어 항공 814편을 이용해서 파리로 출발할 것입니다.

Q9 I want to change the time of the staff meeting to 3 P.M. I don't have anything scheduled at 3, do I?
직원 회의를 오후 3시로 변경하고 싶습니다. 3시에 아무런 일정이 없는 것이 맞나요?

A9 Unfortunately, you are going to lead a special group tour in Western hall at 3.
안타깝게도, 당신은 3시에 서관에서 특별 그룹 투어를 진행할 예정입니다.

Q10 I'm planning to work at home in the morning. What are the details of my schedule before lunch?
저는 아침에 집에서 일할 계획입니다. 점심 식사 이전의 세부 일정을 알려주시겠습니까?

A10 There are two scheduled appointments. First, you are going to have a video conference with Kate Murphy, the director of Maritime Hospital at 9 A.M. And then, you are scheduled to review applications for the fundraising manager position at 10 A.M.
두 가지 일정이 있습니다. 첫째로, 당신은 매리타임 종합병원 국장인 케이트 머피와 오전 9시에 화상 회의를 할 것입니다. 그리고 난 뒤, 당신은 오전 10시에 기금모음 관리자 직책에 대한 지원서를 검토할 것입니다.

Question 11

Express an Opinion

직장 생활

Imagine that you are looking for a job. If your new job asked you to work abroad for more than a year, would you accept the job? Why?

Give specific reasons or examples to support your idea.

당신이 일자리를 찾고 있다고 가정해보세요. 만약 당신의 새 직장이 당신에게 1년 이상 해외에서 일하도록 요구한다면, 당신은 그 일을 하시겠나요? 그 이유는 무엇인가요?

구체적인 이유나 예시를 들어 의견을 뒷받침하세요.

입장		If my new job asked me to work abroad for more than a year, I would accept the job.
		만약 새 직장이 저에게 1년 이상 해외에서 일하도록 요구한다면, 저는 그 일을 하겠습니다.
이유		Most of all, it is helpful to make a career.
		무엇보다도, 그것은 경력을 쌓는 데 도움이 됩니다.
		TIP 주어 it은 working abroad for more than a year를 지칭합니다.
예시 템플릿 13	배경	In the case of my best friend, she worked in the USA and Canada for 2 years.
		제 가장 친한 친구의 경우, 그녀는 미국과 캐나다에서 2년 동안 일했습니다.
	경과	While working there, she was able to learn various work skills in a new environment.
		Also, her English improved a lot.
		그곳에서 일하는 동안, 그녀는 새로운 환경에서 다양한 업무 기술을 배울 수 있었습니다.
		또한, 그녀의 영어가 매우 유창해졌습니다.
	결과	As a result, she got a promoted to a department manager after she came back to Korea.
		그 결과 그녀는 한국으로 돌아온 뒤 부서장으로 승진했습니다.
마무리		Therefore, if my new job asks me to work abroad for more than a year, I would accept the job.
		따라서, 만약 새 직장이 저에게 1년 이상 해외에서 일하도록 요구한다면, 저는 그 일을 하겠습니다.

어휘 make a career 경력을 쌓다 fluent 유창한 get promoted 승진하다

시원스쿨 LAB

시험장에 들고 가는 **템플릿 총정리** ★★★

Q1-2 지문 읽기 (준비시간 45초, 답변시간 45초)

3대 포인트

강세	억양	끊어 읽기
중요 정보를 전달하는 명사, 동사, 형용사를 강하게 읽기	명사나 형용사의 열거 항목 억양 유의해서 읽기 (↗ ↗↘)	쉼표, 마침표 뒤에서 충분히 끊어 읽기
고유명사는 틀려도 괜찮으니 자신 있게 읽기	쉼표 및 의문사 올려 읽기 (↗)	접속사 (and, or) 및 분사구문 (-ing, -ed) 앞에서 끊어 읽기
숫자, 비교 및 최상급, 부정어, 시간표현 강하게 읽기	마침표 및 느낌표 내려 읽기 (↘)	세 단어 이상의 긴 주어 뒤에서 끊어 읽기

Attention travelers. / Due to the storm we're currently experiencing↗, / no plane will be able to take off / until further notice. / In addition↗, / all of today's flights to Wellington↗, / Auckland↗, / and Blenheim↘ / have been canceled. / For additional information↗, / please visit the nearest customer service counter. / Thank you for your understanding.

Q3-4 사진 묘사하기 (준비시간 45초, 답변시간 30초)

템플릿 1

인물 중심
(2인)

1	장소
2	인원 수 *
3	인물 1 (동작 + 인상착의)
4	인물 2 (동작 + 인상착의)
5	추가 문장 *

* 생략 가능

템플릿 2

인물 중심
(3인 이상)

1	장소
2	인원 수
3	인물 1 (동작 + 인상착의)
4	인물 2 (동작)
5	인물 3 (동작)

◁◁ 절취선을 따라 뜯어서 사용하세요.

템플릿 3		1 장소 설명
인물 중심 (1인)		2 인물 (동작 2개 + 인상착의 1개) 혹은 (동작 1개 + 인상착의 2개)
		3 사물 1
		4 사물 2

템플릿 4		1 장소 설명
다수의 인물 및 사물		2 인원 수 설명 *
		3 대상 1
		4 대상 2
		5 대상 3
		6 대상 4 *

* 생략 가능

Q5-7 듣고 질문에 답하기 (준비시간 문항별 3초, 답변시간 15/15/30초)

템플릿 5 두 개의 의문사에 답변하기 (5번 문제)

질문의 표현을 활용해서 문장을 시작한 뒤, 의문사에 답변하세요.

Q How often do you exercise, and what kind of exercise do you usually do?

A I exercise (twice a week) and I usually (go jogging).

템플릿 6 이유를 추가로 설명하기 (6번 문제)

질문의 표현을 활용해서 문장을 시작한 뒤, 이유를 설명해줍니다.

Q Would you consider going to an amusement park in the evening? Why?

A I would consider going to an amusement park in the evening. 첫 문장
It's because (I can get a 50% discount) in the evening. 이유 문장 (동사 중심)

이유 문장 대표 구문

동사 중심	can + 동사	We can concentrate on our work.
형용사 중심	It is + 형용사 + to 동사	It is helpful to make friends.
명사 중심	There is/are + 명사	There are professional trainers in a fitness center.

의견 설명하기 (7번 문제)

제시된 문제에 대한 입장을 밝힌 뒤, 이유를 두 가지 설명하세요. 이유가 하나밖에 생각이 나지 않으면 첫 번째 이유와 연결되는 추가 문장을 만드세요.

Q Do you prefer to exercise alone or with your friends? Why?

A 입장   I prefer to exercise with my friends.
이유 1   First, I can exercise in a more enjoyable atmosphere.
이유 2   Second, we can motivate each other to exercise harder.
마무리   Therefore, I prefer to exercise with my friends.

Q8-10 제공된 정보를 사용하여 질문에 답하기 (준비시간 문항별 3초, 답변시간 15/15/30초)

템플릿8 행사 일정

시간 및 장소 설명	프로그램 will be held + 시간 및 장소 정보
잘못된 정보 정정	I'm sorry, but you have the wrong information. + 올바른 정보 문장
항목 설명	**사람 이름 X** 프로그램 is scheduled + 시간 정보 There will be 프로그램 + 시간 정보
	사람 이름 O 사람 will give a 프로그램 on 주제 프로그램 will be conducted by 사람

템플릿9 개인 일정

일정 설명	You are going(scheduled) to + 동사 원형
일정 유의사항 설명	**일정이 취소됨** Actually, 일정 has been canceled
	일정 조정 불가 Unfortunately, you are going to + 동사 원형

템플릿10 이력서

학력사항 설명	He/She received 학위 in 전공 at 출신 대학 in 졸업연도
특이사항 설명	I think he/she is a suitable applicant because + 이유 문장
업무경력 설명	He has two different kinds of work experience First, he/she worked at 직장명 as a 직위 + from 년도 to 년도 And then, he/she has been working at 직장명 as a 직위 since 년도

템플릿11 면접 일정

시간 및 장소 설명	The interview will be held + 시간 및 장소 정보
변경 및 취소 정보 설명	Actually, the interview scheduled at 시간 has been canceled
면접 세부 일정 설명	There are two scheduled interviews First, you will interview 사람 for 직위 at 시작 시간 Second, there will be an interview with 사람, who is applying for 직위 at 시간

템플릿 12 강의 일정

강의 기본 정보 설명		
	수업 일정	프로그램 명 will begin + 시간 및 장소 정보
	등록 마감일	You need to register by + 등록 마감일
	강의 비용	It is 금액 if you + 동사 원형
강의 세부 일정 설명	강사 이름 없음	You can take a 과목명 class + 시간 및 장소 정보 과목명 is scheduled + 시간 및 장소 정보
	강사 이름 있음	강사 will teach a class on 과목명 + 시간 및 장소 정보 과목명 will be conducted by 강사 + 시간 및 장소 정보

Q11 의견 제시하기 (준비시간 45초, 답변시간 60초)

Do you agree or disagree with the following statement?
In general, using the latest technology has improved how students study at home and school.

템플릿 13 긍정적 사례 소개

시간과 과정의 흐름에 따른 긍정적 사례를 배경-경과-긍정적 결과의 세 단계로 설명합니다.

배경	고등학교 때, 많은 학생들이 태블릿 PC를 가지고 있었음
경과	그래서 아무 곳에서나 유명한 강의를 들을 수 있었음
긍정적 결과	그 결과 나는 좋은 성적을 받을 수 있었음

템플릿 14 부정적 사례 소개

시간과 과정의 흐름에 따른 긍정적 사례를 배경-경과-부정적 결과의 세 단계로 설명합니다.

배경	고등학교 때, 많은 학생들이 스마트폰을 가지고 다녔음
문제점	그래서 수업 중에 많은 학생들이 문자를 보내거나 스마트폰 게임을 했음
부정적 결과	그 결과 나는 공부에 집중하기 어려웠음

템플릿 15 과거와 현재 사례의 비교

과거와 현재의 차이점을 과거 배경 – 문제점 – 현재 상황 – 긍정적 결과의 네 단계로 설명합니다.

과거 배경	고등학교 때, 나는 무거운 참고서를 많이 가지고 다녔음
문제점	그래서 가방이 언제나 무거웠음
현재 상황	그런데 요즘 학생들은 태블릿 PC와 전자책을 이용함
긍정적 결과	그 결과, 그들은 편리하게 통학을 할 수 있음